Compliments de : / Compliments of :

Programmes d'apprentissage, de perfectionnement et d'appréciation
Direction des programmes des ressources humaines
Direction générale des ressources humaines
Learning, Development and Appreciation Programs
Human Resources Program Directorate
Human Resources Branch

(Page précédente)
Jeune fille de
Bathurst Inlet,
Territoires du Nord-Ouest.
Photo de
Richard Harrington,
MCPC.

Jeunes chiens de traîneau.
Nunavut.
Photo de Mike Beedell.

(Page ci-contre)
Lunch à la cantine.
Nouvelle-Écosse.
Photo de John Sylvester.

© Ministre de l'Industrie, 2002

En vente au Canada par l'entremise de nos agents libraires agréés et autres libraires ou de :

Statistique Canada
Gestion de la circulation
Division de la diffusion
120, avenue Parkdale
Ottawa (Ontario)
K1A 0T6
Numéro sans frais pour commander :
1 800 267-6677
Télécopieur : 1 877 287-4369
Courrier électronique : order@statcan.ca

La Bibliothèque nationale du Canada a catalogué cette publication de la façon suivante :

Vedette principale au titre :

Un portrait du Canada

57e édition
Également publié en anglais sous le titre :
Canada: a portrait.

Produit n° 11-403-XPF au catalogue
ISBN 0-660-96687-5

1. Canada – Conditions économiques – Périodiques.
2. Canada – Conditions sociales – Périodiques.
3. Canada – Politique et gouvernement – Périodiques.
4. Canada – Description et voyages – Périodiques.

This publication is also available in English.

Conception graphique : Neville Smith,
Aviva Furman
Composition : Suzanne Beauchamp, Louise Demers

Impression : Imprimerie Transcontinental Inc.,
Beauceville Est (Québec)

Imprimé au Canada

La 57ᵉ édition

d'Un portrait du

Canada, publiée

avec l'autorisation

du ministre de

l'Industrie

AVANT-PROPOS

J'ai le plaisir de vous présenter la 57e édition d'*Un portrait du Canada* et l'honneur de remercier tous les éminents penseurs, poètes, écrivains et acteurs qui se sont joints à nous pour offrir un aperçu des plus humains et évocateurs du Canada du nouveau millénaire.

Nous sommes particulièrement reconnaissants envers Nicole Brossard, John Kenneth Galbraith, Zacharias Kunuk, Rick Mercer, Gordon Pinsent et Guy Vanderhaeghe, qui ont écrit sur les rapports personnels qui les unissent avec ce grand et magnifique pays qui est le nôtre.

En nous appuyant sur leurs impressions du Canada et sur les travaux statistiques de notre organisme, nous nous sommes efforcés de brosser un tableau clair et dynamique des vies sociale, économique et culturelle de l'ensemble de la population. Pour mettre une dernière touche à ce tableau, nous nous sommes inspirés d'anecdotes et de souvenirs de notre pays pour donner un contexte et un sens aux expériences que nous vivons aujourd'hui.

Au nom de tous mes collègues de Statistique Canada, j'espère que tous nos lecteurs trouveront la présente édition d'*Un portrait du Canada* à la fois pratique et pertinente pour mieux comprendre le Canada d'aujourd'hui et de demain.

Ivan P. Fellegi

Statisticien en chef du Canada

REMERCIEMENTS

Au nom de Statistique Canada, j'ai l'honneur de saluer l'équipe qui a collaboré à la présente édition d'*Un portrait du Canada* et d'en remercier ses membres. Je suis avant tout reconnaissante à Penny Stuart pour son extraordinaire apport au projet. En sa qualité de gestionnaire de la production et de réviseure principale de la version anglaise, Penny a su réunir une combinaison unique de célérité, de capacité analytique et de bonne humeur pour mener à bien une entreprise qui, en l'absence de ces ingrédients essentiels, aurait pu se révéler passablement laborieuse. En mon nom et en celui de Penny, je désire remercier l'équipe qui a contribué à créer un ouvrage intéressant et informatif.

Nous remercions tout particulièrement l'équipe de rédaction : les auteurs des chapitres Phil Jenkins (« Le territoire »), Gordon Priest (« La population »), Helen Smith (« La société »), Ken Ross (« Les arts et les loisirs »), Van Whitehead (« L'économie ») et Gareth Spanglett (« Le Canada dans le monde »), ainsi que les rédacteurs d'articles spéciaux Sandra Nicholls et Randy Ray et notre « rédacteur à tout faire » Bruce Nesbitt.

Nous devons une fière chandelle à Ginette Lavoie, réviseure principale et coordonnatrice de la version française, pour sa patience et sa grande compétence, ainsi qu'aux réviseurs Judith Côté, Christine Duchesne, Louis Majeau, Marie-Paule Robert et Nathalie Villemure, qui se sont dévoués sans compter pour ce projet. Nous remercions chaleureusement Annie Lebeau, chef de la rédaction et de la révision françaises, et François Bordé, directeur adjoint, pour leurs conseils éclairés. Notre gratitude va aussi à Janis Camelon, chef de la rédaction et de la révision anglaises, et à son équipe — Elizabeth Irving, Helen Kampf, Tim Prichard, Robin Redmond, Yan Thériault et Nick Thorp — pour leur perspicacité et leur aide consciencieuse. Pour l'aide qu'ils nous ont apportée, nous souhaitons exprimer notre reconnaissance aux membres de la Division des langues officielles et de la traduction.

Enfin, un grand merci à Monique Dumont et à Patricia Buchanan pour la création des index français et anglais, ainsi qu'à Claire Quintal et à Joyce Thomas pour leur aide à la rédaction.

Notre équipe de rédaction est appuyée et soutenue par un réseau d'analystes travaillant à l'intérieur et à l'extérieur de Statistique Canada. Mille mercis à Mary Cromie, Gordon Dekker, David Dodds, Michel Durand, John Gordon, Hugh Henderson, Steven Mozes, Scott Murray, Doug Norris, Willa Rea, Paul Reed, Art Ridgeway, Philip Ryan, Ray Ryan, Mehzad Salem, George Sciadas, Wayne Smith, Maryanne Webber, Carolyn Weiss, Karen Wilson et Michael Wolfson. Nous désirons remercier comme il se doit le personnel de la bibliothèque de Statistique Canada et adresser un merci tout particulier au professeur John Warkentin, de l'Université York, pour ses conseils avisés et forts appréciés concernant la rédaction du chapitre « Le territoire ».

Nous sommes aussi particulièrement reconnaissants à Jacques Lefebvre et à son groupe d'analystes — Monique Beyrouti, Isabel Dias, François Lavoie, Andrew Mackenzie, Jacqueline Tebbens et Kelly Tran — qui ont tous mis à contribution leur plume, leur intelligence et leur grande connaissance de la statistique pour nous aider à produire un texte à la fois facile à lire et informatif.

Nous souhaitons remercier le comité directeur de la publication, composé de Louis Boucher, Vicki Crompton, Iain McKellar, David Roy et Martin Podehl, qui a su trouver le juste équilibre entre la créativité et la rentabilité. Une marque de reconnaissance spéciale va aussi à Johanne Beauseigle, chef des Services de la conception et production, pour son sens aigu des affaires et sa gestion technique hors pair, ainsi qu'à Louise Demers et à

Suzanne Beauchamp, pour leur effort soutenu, l'excellence de leur travail de composition et l'engagement dont elles ont fait preuve tout au long de ce projet. Nos remerciements et notre appréciation vont également à Francine Pilon-Renaud pour avoir guidé l'équipe du *Portrait* dans le monde de l'impression.

La production du *Portrait* ne représente que la moitié du défi. Sa commercialisation et sa vente en constituent l'autre moitié. Sous ce rapport, nous avons la bonne fortune de compter sur la détermination de Marc Bazinet et de Gabrielle Beaudoin. Pour ce qui est de la vente, nous ne pouvons que nous incliner devant le dévouement de John Whitton.

Comme toujours, je suis honorée d'avoir travaillé avec Neville Smith et Aviva Furman, dont la conception graphique rehausse l'ouvrage en mettant en relief les thèmes traités avec puissance et conviction. J'exprime aussi ma reconnaissance à la responsable des photographies, Susan Bernard, pour sa recherche minutieuse et intelligente.

Enfin, je tiens à remercier Emily Burton, pour son travail assidu de recherchiste, Monique Poirier, coordonnatrice de la production, pour avoir su faire preuve de grâce malgré la pression, et Vicki Crompton, nouvelle directrice de la Division des communications, qui nous a prodigué des encouragements avec gentillesse et bienveillance.

Jonina Wood

Rédactrice en chef, *Un portrait du Canada*

TABLE DES MATIÈRES

Jeune érable rouge.
Photo de
J. David Andrews.

Quand j'étais très jeune, du temps où j'ai grandi à Grand Falls,

Terre-Neuve, je me souviens d'un énorme rocher d'où on avait

une vue sur l'anse. J'ai passé beaucoup de temps sur ce

rocher — il était toujours chaud, même par mauvais temps.

C'était un rocher énorme, doux et accueillant.

D'une certaine façon, j'ai l'impression que cette terre est mon

amie et que, peu importe où je vais dans le monde, je me sens

intimement lié à ce coin de pays et au rocher, sur l'anse. Je

n'ai qu'à y penser pour trouver empathie, réconfort et inspiration.

Gordon Pinsent, comédien

Lac Supérieur.

Photo

d'Hélène Anne Fortin.

LE TERRITOIRE

« Au moment où j'entame mon récit, le sud-ouest de l'Ontario baigne dans l'or de septembre. Sous le soleil d'automne, le paysage est d'une richesse presque accablante, à la façon d'un poème de Keats. »

Dès les premières lignes de son roman *La perte et le fracas*, l'écrivain canadien Alistair MacLeod illustre la splendeur d'une saison canadienne et la richesse de la campagne ontarienne. Originaire du cap Breton, MacLeod croit que « l'on porte un paysage en soi ». Cette vibrante affirmation est au centre de l'histoire du Canada, qui commence avec le territoire. Chaque Canadien, naturalisé ou de souche, porte en son cœur l'image d'un pays, une image fondée sur son expérience de ce paysage rude, magnifique, vaste et nordique.

Alistair MacLeod fait partie d'une longue lignée d'écrivains qui ont su exprimer clairement leur expérience du Canada, de sa beauté et du rythme de ses saisons — des saisons qui changent comme les décors d'une pièce de théâtre historique.

« Attendez un peu, vous ne savez rien des hivers canadiens », dit un voisin à Susanna Moodie en 1832, qui venait d'immigrer dans le Haut-Canada — l'Ontario de jadis. « Nous ne sommes qu'en novembre. Après le dégel du temps des Fêtes, vous saurez ce qu'est le froid. » [traduction] Susanna Moodie en est venue à bien connaître les hivers. Elle a d'ailleurs écrit un livre à ce sujet, dont le titre, *Roughing it in the Bush,* pourrait servir de slogan pour l'histoire des premiers immigrants au Canada.

Presque deux siècles et une saison plus tard, Sharon Butala, du Sud de la Saskatchewan, a écrit, dans *The Perfection of the Morning* : « Par une chaude journée de printemps, me promenant à cheval, à pied ou en camion dans une véritable basse prairie qui n'a jamais été foulée par une charrue de toute son histoire depuis l'époque des glaciers, je pensais n'avoir rien senti d'aussi merveilleux de ma vie… » [traduction]. Après le prélude du printemps vient la saison où, selon le poète néo-écossais George Elliott Clarke, les champs sont « fous de chlorophylle »; nous pouvons « vagabonder à l'extérieur et flâner près d'un geyser de framboises qui émerge, tordu, du sol noir » [traduction].

L'histoire du Canada, c'est également celle d'une jeune nation établie sur les assises solides d'un vieux territoire. Les rochers près du fjord Hebron au Labrador — les plus anciens au Canada — témoignent de la présence d'un bouclier massif composé surtout de granit, le substrat rocheux de la moitié du Canada, qui s'est formé il y a plus de trois milliards et demi d'années, avant même que la durée des saisons soit déterminée. Un milliard d'années plus tard, les premiers êtres vivants du Canada sont apparus. Il s'agissait d'organismes simples qui ont laissé leur trace dans les plus anciens fossiles découverts à ce jour, au lac Steep Rock, près d'Atikokan, en Ontario.

Beaucoup plus tard dans l'histoire géologique du Canada, il y a à peine un million d'années, d'importantes calottes glaciaires se sont avancées vers le sud à différents moments. Les calottes glacières du Keewatin et du Labrador ont même atteint le Wisconsin et l'État de New York, au sud de notre frontière, puis ont disparu. Avant la fin de l'époque glaciaire, selon l'une des théories avancées, des nomades auraient emprunté un pont continental maintenant submergé et auraient migré de l'Asie aux îles Aléoutiennes, se déplaçant vers le sud à travers un corridor dans les lobes glaciaires, se dirigeant ensuite vers l'est, puis au nord, vers des terres au climat plus chaud, qui deviendront plus tard le Canada.

L'histoire de la géographie du Canada est rédigée sur une page dont la surface couvre 9 984 670 kilomètres carrés, faisant de ce pays le deuxième en importance au monde pour ce qui est de la superficie. L'autoroute Transcanadienne, qui traverse cet immense territoire, s'étend sur 7 821 kilomètres. Il aura fallu 20 ans, de 1950 à 1970, pour construire cette autoroute nationale — la plus longue du monde.

Partant au « point zéro » de l'autoroute Transcanadienne, à St. John's, Terre-Neuve, et se dirigeant vers Victoria en Colombie-Britannique, un automobiliste devra régler l'horloge de sa voiture cinq fois, puisqu'il traversera six fuseaux horaires. Quiconque désire laisser sa voiture à la maison et entreprendre la randonnée de toute une vie peut parcourir le Sentier transcanadien. Commencé en 1992 dans le cadre des festivités entourant le 125e anniversaire du Canada, le Sentier est presque deux fois plus long que l'autoroute Transcanadienne.

« S'il y a une chose que nous, les Canadiens, avons en abondance, c'est bien la géographie. »

[traduction]

Robertson Davies
The Merry Heart, 1996

Moment de quiétude
près de Kamouraska,
Québec.
Photo d'Éric Piché,
ALT-6.

Les deux extrémités de la plus grande partie de la région continentale du Canada sont l'île de Vancouver à l'ouest et Terre-Neuve à l'est, alors que les îles de l'archipel Arctique — le groupe d'îles le plus important du monde — couronnent le pays au nord. L'archipel comprend les îles Ellesmere et Axel Heiberg ainsi que l'île de Baffin — la plus grande au Canada — qui abrite entre autres le caribou blanc de Peary, des millions de guillemots de Brünnich et 11 340 personnes.

Dans sa partie la plus large, le Canada s'étend sur 5 500 kilomètres, de la pointe est de Terre-Neuve, qui reçoit les premiers rayons de soleil de la journée en Amérique du Nord, au commencement de la frontière du Yukon et de l'Alaska. La distance séparant le point le plus au sud, le lac Érié, du point le plus au nord, l'île d'Ellesmere, est de 4 600 kilomètres.

Trois océans — le Pacifique, l'Arctique et l'Atlantique — absorbent l'effluent de douzaines de cours d'eau le long du littoral échancré du Canada, qui s'étire sur 58 059 kilomètres. Si l'on ajoute à ce chiffre le périmètre de nos innombrables îles, on arrive à un total de 243 792 kilomètres, le plus long littoral du monde, qui représente à peu près l'équivalent de six fois la circonférence du globe. Au-delà de la côte, la terre glisse sous l'eau pour former un plateau continental, véritable frontière invisible du pays.

L'histoire se déroule

La partie septentrionale de l'Amérique du Nord, cette accumulation massive de terre, est une mosaïque d'écozones. On en compte 15 en tout, chacune possédant ses propres « traits de personnalité » quant au climat, à la topographie et à la faune. Des troupeaux de bœufs musqués broutent dans l'écozone du Haut-Arctique alors que des vignobles poussent dans les plaines à forêts mixtes du Sud de l'Ontario. Les carcajous rôdent dans la taïga de la cordillère, à l'extrémité nord-ouest du pays, tandis que dans les plaines hudsoniennes encerclant la mer intérieure — la baie d'Hudson — poussent le tremble et le bouleau glanduleux.

Dans l'écozone maritime du Pacifique, les grandes forêts abritent les couguars et les grizzlis, et les saumons quittent la mer et remontent les rivières. Derrière le rempart nord-sud que forment les montagnes Rocheuses et la Cordillère montagnarde, les prairies centrales s'étendent comme une courtepointe chiffonnée sous le soleil. Les écozones des prairies et des plaines boréales font place aux régions boisées du bouclier boréal, plus caduques que celles de l'Ouest.

À la croisée de la prairie et des terrains boisés, dans les plaines de la baie d'Hudson et un peu partout au Canada, s'étendent 1,3 million de kilomètres carrés de zones humides habitées par une multitude d'espèces, où nidifie le bruant des marais et où retentissent sur le sol les pas lourds de l'orignal. Les zones humides représentent le huitième du territoire du Canada. Au-delà, les régions boisées se prolongent jusqu'aux ports de mer de l'écozone maritime de l'Atlantique.

Au nord, par-delà les arbres qui séparent la forêt boréale de la toundra, l'immense Arctique demeure blanc dans la cryosphère nordique (nom collectif des dépôts de glace et de neige, où qu'ils soient). Là, l'époque glaciaire n'a jamais connu de fin — la durée des jours et des nuits est mesurée selon un calendrier plutôt que selon une horloge.

L'histoire du peuplement du Canada se poursuit grâce à une vague de migrants européens qui ont traversé l'Atlantique et se sont enracinés ici, se livrant à la pêche côtière, chassant les animaux sauvages à fourrure et exploitant les gigantesques forêts ainsi que les minéraux et les métaux du sous-sol. Un pays est né de ce mélange de nations européennes et de nombreuses tribus autochtones. On avait d'abord appelé le pays *Kanata,* un mot des Iroquois du Saint-Laurent que Jacques Cartier a entendu en remontant le fleuve en 1535, qui est devenu plus tard le Dominion du Canada, lors de la Confédération, en 1867.

« Sol canadien,

terre chérie, par

des braves tu fus

peuplé… »

Isidore Bédard
Sol canadien, 1859

Avec le temps, on a établi de nouvelles limites géographiques au fur et à mesure que les limites territoriales ont été édifiées. En 1906, un an après l'entrée de la Saskatchewan et de l'Alberta dans la Confédération, on a produit le premier atlas national du Canada. La carte du Canada contemporain montre dix provinces et trois territoires qui, groupés, forment une fédération de gouvernements et de citoyens.

Le nombre de Canadiens peuplant ce territoire en 2001 s'élevait à 30 millions; c'est donc dire que si ces personnes étaient dispersées dans tout le pays, on dénombrerait 3,3 personnes au kilomètre carré. À titre de comparaison, la densité de population aux États-Unis et en Russie s'établit respectivement à environ 30,7 et 8,5 personnes au kilomètre carré.

La vaste majorité des Canadiens vivent à moins de 200 kilomètres de la frontière des États-Unis, dans une ceinture où les villes sont largement espacées les unes des autres, Winnipeg fermant la boucle. En effet, sur les 27 villes les plus populeuses, 19 se trouvent

Quelque part
au Nunavut.
Photo de Mike Beedell.

dans cette bande où vit 57 % de la population. Au fil du temps, l'histoire des Canadiens est celle d'une population qui abandonne les vastes espaces pour les grandes artères des villes.

En 1901, le Canada comptait 5,4 millions d'habitants et quelque 40 % d'entre eux se livraient directement à l'agriculture. Ce pourcentage avait chuté à moins de 3 % en 1999. Même si le nombre de fermes canadiennes est aujourd'hui inférieur de 18,3 % à ce qu'il était en 1976, ces fermes sont en moyenne 22 % plus grosses, de nombreuses fermes familiales ayant maintenant été remplacées par des entreprises agricoles gigantesques.

Le Nord

En 1925, une expédition composée de six hommes a remonté la côte du Pacifique en bateau et a entrepris d'escalader le massif St. Elias. Après un périple de 65 journées épuisantes, les explorateurs sont arrivés au sommet du mont Logan, point culminant du Canada, nommé ainsi en 1890 en l'honneur de Sir William Logan, premier directeur de la Commission géologique du Canada. Le mont Logan fait presque 6 000 mètres et est dix fois plus élevé que la Tour CN, à Toronto — la plus haute construction de l'homme au Canada. Même s'il ne figure pas sur la liste des 100 plus hautes montagnes du monde, le mont Logan n'en est pas moins le deuxième sommet en importance en Amérique du Nord, le plus haut sommet étant le mont McKinley, en Alaska.

Du sommet du mont Logan, les alpinistes ont une vue inouïe de l'est, soit sur le Yukon, les Territoires du Nord-Ouest et le Nunavut. Ces trois territoires réunis comptent 92 800 habitants et couvrent 40 % de la superficie du Canada, ce qui en fait une région nordique de la taille de l'Europe. Cape Columbia, sur l'île d'Ellesmere, qui constitue l'extrémité septentrionale du pays, n'est qu'à 720 kilomètres du pôle Nord, c'est-à-dire à un peu plus de 83° de latitude nord. Pendant les mois les plus froids, la randonnée sur la glace, de l'île d'Ellesmere à l'autre voisin du Canada, le Groenland, n'est que de 26 kilomètres.

Ours kermode,
Princess Royal Island,
Colombie-Britannique.
Photo de Ron Thiele.

Les ours fantômes Sur la côte du Nord-Ouest de la Colombie-Britannique vit une petite population d'ours kermode, aussi appelés ours fantômes ou ours esprits. Bien que leur nombre exact demeure un mystère — ils vivent loin de l'homme —, on estime la population de ces mammifères à environ 100 à 200 ours. On ne trouve ces animaux que dans les forêts pluviales tempérées de la côte Ouest du Canada.

Selon les Premières nations Tsimshian, la légende veut que le Corbeau descendit du ciel et transforma en ours blanc — de la couleur des glaciers — un ours noir sur dix.

Les Tsimshians appellent cet ours unique Moksgm'ol ou simplement ours blanc. La plupart des gens l'appellent ours kermode, en l'honneur de Francis Kermode, naturaliste et conservateur du British Columbia Provincial Museum au début des années 1900, qui a étudié ces mammifères. Les dernières recherches indiquent que la fourrure blanche de l'ours est le résultat d'une mutation unique de la séquence de l'ADN dans le gène de la couleur de son pelage. Puisqu'il s'agit d'une mutation récessive, deux ours noirs peuvent donc concevoir un ourson blanc.

En 2001, quelque 1 350 kilomètres carrés, la plupart se trouvant sur Princess Royal Island et les terres adjacentes, ont été désignés réserves naturelles à perpétuité. Selon les défenseurs des ours, c'est un bon départ, mais ce n'est qu'un début. Des milliers d'autres hectares doivent être réservés pour assurer la survie des ours fantômes… et du projet du Corbeau.

Cinquante mille Inuits vivent dans le Nord : les Inuvialuits, les Inuits du cuivre et les Netsiliks. La densité de la population dans le Nord du Canada s'établit à seulement 0,03 habitant par kilomètre carré, ce qui représente le centième de la répartition nationale. La population y est concentrée dans les trois capitales des territoires. Whitehorse, la capitale du Yukon, compte 21 400 habitants dont deux Yukonnais sur trois; à Yellowknife, dans les Territoires du Nord-Ouest, on retrouve 16 600 personnes et deux mines d'or dans les limites de la ville, alors qu'à Iqaluit, capitale du Nunavut dont le nom signifie « lieu de poisson » en inuktitut, il y a 5 200 habitants.

En raison de la végétation si lente à pousser dans le Nord, l'histoire du peuplement de cette région du pays est comme un véritable livre ouvert. Les cercles de tentes et les cendres de foyers depuis longtemps éteintes témoignent de la présence des Athapascans, qui s'y sont établis il y a plus de 12 000 ans, suivis des Inuits 8 000 ans plus tard. Sur l'île Kodlunarn, dans le détroit Countess of Warwick, les ruines des mines abandonnées de l'Anglais Martin Frobisher en 1578, montrent que les Européens sont arrivés beaucoup plus tard.

Bon nombre d'explorateurs de l'Arctique étaient à la recherche du passage du Nord-Ouest, le prétendu raccourci maritime qui permettrait aux explorateurs et aux commerçants de passer facilement du Pacifique à l'Atlantique. Bien que la plupart des explorateurs aient essayé de découvrir ce raccourci en bateau, un homme, Samuel Hearne, a tenté sa chance à pied et a relaté ses aventures rocambolesques dans un remarquable récit, *A Journey from Prince of Wales's Fort in Hudson's Bay to the Northern Ocean undertaken by order of the Hudson's Bay Company for the Discovery of Copper Mines, a North-West Passage, &c. in the Years 1769, 1770, 1771 & 1772*. Le périple de Hearne, mené par Matonabbee, célèbre guide chippewyan, est digne d'un film d'action. Hélas, l'explorateur n'a pas trouvé le passage. Ce n'est qu'en 1905 que Roald Amundsen, après avoir navigué pendant trois ans d'ouest en est à bord du *Gjoa*, est arrivé dans la mer de Beaufort et a prouvé qu'il était possible de passer d'un océan à l'autre.

En passant par le Pacifique

Lorsque l'explorateur Alexander Mackenzie a atteint le Pacifique en 1793, il a remarqué que les eaux qui s'offraient à son regard étaient « constellées d'îles ». Mackenzie ignorait que la terre qu'il regardait reposait sur une zone d'agitation géologique relative. L'histoire géologique du Canada s'écrit sans cesse, et ce, nulle part davantage que sur la côte du Pacifique. En 1700, l'un des plus importants tremblements de terre jamais enregistrés au monde, atteignant 9 sur 10 sur l'échelle de Richter, a détruit de nombreux habitats des Cowichans, sur l'île de Vancouver. En 2001, quelque 26 séismes ont secoué la région, dont l'un a fait tomber des objets sur les étagères de certaines maisons des îles de la Reine-Charlotte.

La Colombie-Britannique est un mélange de paysages et de zones climatiques. Dans l'histoire du Canada, on a enregistré la plus importante accumulation de neige en une seule journée — suffisamment pour enterrer une personne se tenant debout — au lac Tahtsa, près de Kitimat, en février 1999. En revanche, la région semi-aride de l'Intérieur Sud de la province, où vivent des scorpions et des serpents à sonnettes, est l'endroit le plus sec au pays. La température annuelle moyenne la plus élevée, la plus longue période annuelle moyenne sans gel et les accumulations annuelles moyennes de neige les plus basses du Canada ont toutes été enregistrées au Sud-Ouest de cette province, alors que dans la partie nord de la province, la température moyenne est de -20 °C en janvier.

Un peu plus de la moitié des 3,9 millions de Britanno-Colombiens vivent à Vancouver, ville entourée de montagnes. En général, la densité de population de la province s'établit à 4,2 habitants par kilomètre carré.

Quant aux activités agricoles, on élève du bétail au centre, on exploite des vergers de pommiers et des vignobles dans la vallée de l'Okanagan et on s'adonne à la floriculture et à la culture de petits fruits le long de la côte, où le climat est doux et humide. Les céréales et les graines oléagineuses sont principalement cultivées dans le Nord-Est, où les conditions climatiques ressemblent à celles des Prairies.

« [...] vivre au Canada, c'est vivre dans quatre pays différents... un pays par saison... »

Michel Conte
Le prix des possessions, 1979

Les Prairies

Les provinces des Prairies sont alignées de façon ordonnée sur le 49e parallèle de l'Amérique du Nord, dont la cartographie a été établie par une commission frontalière mixte dès 1872; il est marqué par une série de monticules disposés à 4,8 kilomètres d'intervalle, lesquels servent de repères. Lorsque la frontière traverse des broussailles ou une forêt, une percée ou un corridor de six mètres de largeur sert de ligne de démarcation entre le Canada et les États-Unis. Cette frontière commune, la plus longue du monde, s'étend sur 8 891 kilomètres.

Allan's Corner, Québec.
Photo de Jean Bruneau,
ALT-6.

Parfaitement planes en majeure partie, les Prairies sont recouvertes d'un sol argileux fertile et profond, héritage des glaciers et des lacs glaciaires. À l'époque de l'explorateur David Thompson, au moins 70 millions de bisons des plaines broutaient dans ces prairies. La chasse a eu raison de l'espèce, qui s'est presque éteinte. Aujourd'hui, certains bisons sont élevés dans des fermes commerciales alors que d'autres vivent à l'état sauvage, en petits troupeaux, comme les 600 individus en liberté dans le parc national Elk Island, près d'Edmonton. Quelque 5,1 millions de personnes résident dans les Prairies, dont la moitié dans les villes de Calgary, d'Edmonton et de Winnipeg. La plus forte densité de population se retrouve en Alberta, soit 4,6 habitants par kilomètre carré, et la plus faible, en Saskatchewan, qui compte à peine 1,7 habitant par kilomètre carré.

La frontière à l'Ouest de l'Alberta s'élève à une altitude qui dépasse d'un kilomètre celle de l'Est du Manitoba, la « province charnière » en raison de sa position centrale dans l'alignement des provinces. L'eau descend donc dans l'interlac manitobain, empruntant les rivières Assiniboine et Saskatchewan en direction de la rivière Rouge, du lac Winnipeg et de la baie d'Hudson.

Par l'une de ces bizarreries de l'immigration, qui rendent l'histoire du Canada si intéressante, il est possible d'acheter un journal d'Islande dans plusieurs villes de la région des lacs du Manitoba. Cette région a en effet été colonisée par des Islandais fuyant leur pays dévasté par des catastrophes comme des volcans en éruption. En 1875, un groupe de 235 nouveaux immigrants islandais ont quitté Winnipeg à bord de bateaux à fond plat et se sont rendus sur les rives du lac Winnipeg pour y fonder New Iceland, près de la ville de Gimli. Ce lien culturel existe encore aujourd'hui.

Dans le Sud des Prairies, le paysage est parsemé de marécages de différentes tailles, allant des lacs aux grandes flaques. Au printemps, l'eau de fonte et la pluie les remplissent, le tapis blanc cédant sa place à un champ de paille parsemé de marécages d'eau douce ressemblant à des miroirs. Près des deux cinquièmes des terres humides du Canada — des zones immergées pendant au moins une partie de la journée ou de l'année — se trouvent en Alberta, en Saskatchewan et au Manitoba. Depuis l'arrivée des Européens, on estime que 71 % des terres humides des Prairies ont été converties en terres agricoles, ce qui signifie que de nombreuses espèces se sont vu déposséder de leur habitat naturel, qu'il s'agisse d'organismes protozoaires ou d'insectes aquatiques, de sauvagine ou de mammifères.

Castor canadensis En 1931, le célèbre écologiste Grey Owl estimait que le castor symbolisait le Dominion tout aussi bien que la feuille d'érable. « Le petit artisan des solitudes donne un magnifique exemple d'application au travail, de faculté d'adaptation et de persévérance rusée, écrivait-il. C'est pourquoi le castor figure à côté de la feuille d'érable, sur l'emblème national du Canada. »

Il est probable qu'aucun autre animal n'ait eu, sur l'histoire d'un pays, autant d'influence que n'en a eu le castor sur celle du Canada. L'aventure remonte à la fin du XVIe siècle, alors que l'Europe était en proie à la fièvre de la fourrure. Du coup, le marché européen de la fourrure donnait l'élan à l'exploration et même à la colonisation du Canada, la quête des peaux de castor poussant des explorateurs comme Champlain, Radisson et Des Groseilliers — pour n'en nommer que quelques-uns — à s'enfoncer toujours plus loin dans les régions sauvages du Canada.

En vérité, le castor est devenu le moteur qui, à l'origine, a fait tourner l'économie canadienne. Au moment où la traite des fourrures a atteint son apogée, les commerçants vendaient quelque 200 000 peaux de castor chaque année sur le marché européen, la plupart étant destinées à la fabrication de chapeaux. Vers le milieu des années 1800, les meilleurs couvre-chefs étaient en soie et non plus en peau de castor, en partie parce que la population de castors avait été décimée.

Pour sa part, Grey Owl était si impressionné par les castors et admirait tellement leur intelligence qu'il a adopté plusieurs de ces animaux sauvages canadiens — qui répondaient aux noms de McGinty et

Grey Owl
et son ami le castor.
Glenbow Archives,
Calgary, Alberta,
NA-4868-213.

McGinnis, ainsi que de Jelly Roll et Rawhide — et a entrepris de coucher sur papier leurs faits et gestes. Au cours des années 1930, Grey Owl a pris la tête du combat pour la sauvegarde des castors du Canada; ses efforts ont été à l'origine du mouvement de protection de l'espèce. Plus tard, on a modifié les lois sur le piégeage et la population des castors s'est accrue de nouveau.

Les prouesses architecturales du castor sont remarquables. Il est d'ailleurs l'un des rares mammifères, à part l'humain, capable de créer son propre environnement. Les castors construisent des digues et des canaux. Certaines de leurs digues peuvent atteindre une hauteur de 5,5 mètres. Leurs huttes sont tellement complexes qu'on les croirait érigées à partir de dessins architecturaux.

Le castor a souvent servi de figure emblématique. Ainsi, il se retrouve sur les armoiries de la Compagnie de la Baie d'Hudson et de la ville de Montréal, sur l'emblème du Canadien Pacifique Limitée, sur le premier timbre-poste (le « Castor de trois pence ») et sur le revers de la pièce de cinq sous. La *Loi portant reconnaissance du castor (Castor canadensis) comme symbole de la souveraineté du Canada* a reçu la sanction royale en 1975.

De nos jours, environ un millier de toponymes au Canada — Beaver Crossing en Alberta, Lac Castor Blanc au Québec et Beaver River en Nouvelle-Écosse, par exemple — évoquent le castor. De surcroît, ce dernier est à l'honneur sur la couverture de la présente édition d'*Un portrait du Canada*, tel qu'illustré par Neville Smith.

the sheet—
de, .is taste-
ornamented
ur principal
e plan, con-
, are so ex-
outbuilding
rnéd.   The
, and the
does great
, and to the
r in getting
very great,
der a small
ve skill by
and useful

tage stuck in before it, as if by professional jealousy,
to mar the effect of, certainly, the handsomest church
in the city.   We trust the spirited enterprise of the
publisher will meet with the warmest appreciation
theoretically and substantially.

Feby 1851

This is the first proof from the plate of
the first postage stamps issued in Canada
designed by Sanford Fleming for the Post
Master General The Hon. James Morre

« Castor de trois pence »,
1851.
Archives nationales du
Canada, Acc. 1989-565.

Durant l'été 1857, l'Irlandais John Palliser a mené une expédition dans les Prairies et en est venu à la conclusion que les vastes prairies inutilisées qu'on y trouve convenaient à l'agriculture. Cette zone semi-aride est connue sous le nom de Triangle de Palliser. La prédiction de Palliser s'est réalisée : les quatre cinquièmes de tous les champs cultivés du Canada sont situés dans cette région, et la récolte annuelle de blé, d'avoine, d'orge, de seigle, de canola et de graines de lin est suffisante pour fournir à chacun des 30 millions de Canadiens plus d'une tonne de nourriture. Comme le savent les agriculteurs de ces provinces, les sécheresses prolongées et les vents dévastateurs sont toujours possibles : une période de canicule dans le Sud de la Saskatchewan a fait grimper le mercure à 45 °C le 15 juillet 1937; il s'agit de la température la plus élevée jamais enregistrée à ce jour au Canada.

Le centre du Canada

Lorsque le marin français Jacques Cartier a baptisé la petite baie où il a jeté l'ancre le 10 août 1535 en l'honneur de saint Laurent, il ne se doutait pas que c'est tout un fleuve qui, un jour, porterait ce nom. L'auteure Frances Brooke, épouse d'un aumônier militaire en poste au Québec, a décrit plus tard le fleuve comme « l'un des plus nobles du monde » [traduction] dans le tout premier roman canadien, *The History of Emily Montague*, écrit en 1769. Des millions d'Européens, comme Brooke et son mari, ont emprunté le fleuve pour se rendre au cœur du Canada.

Le Saint-Laurent est le plus long fleuve coulant d'ouest en est sur le continent et constitue l'habitat naturel de neuf espèces de baleines, y compris le rorqual bleu. Ensemble, les provinces centrales voisines de l'Ontario et du Québec ont une superficie de 2 282 869 kilomètres carrés, ce qui représente le quart de la terre émergée du Canada. Les trois cinquièmes des citoyens du pays, c'est-à-dire 18,6 millions de personnes, vivent maintenant dans ces provinces. Le quart de la population nationale vit à Toronto et à Montréal — les deux plus grandes villes —, dont la population est de 4,7 millions et 3,4 millions d'habitants respectivement. La densité de population de l'Ontario, soit 12,4 habitants au kilomètre carré, est plus de deux fois plus élevée que celle du Québec, qui s'établit à 5,3 habitants au kilomètre carré.

Les provinces centrales se partagent un paysage varié dominé par le Bouclier canadien, une mosaïque de forêts, d'affleurements rocheux, de lacs et de rivières. Les anciennes collines attirent les skieurs en hiver, alors que les propriétaires de chalets y trouvent refuge en été, près des nombreux lacs. Les plaines alluviales côtoient les majestueuses rivières Outaouais, Saint-Maurice et Richelieu. De vastes bandes de forêts mixtes recouvrent les collines, les conifères conservant leur couleur verte en automne et les arbres à feuilles caduques passant du vert au jaune, à l'orange et au rouge.

Le long du Saint-Laurent, les énormes peuplements de pins blancs ont été utilisés par l'industrie navale dès 1665, sous le régime de Jean Talon, le premier intendant de la Nouvelle-France. L'exploitation forestière a prospéré dans les régions boisées de l'Est depuis ce temps, grâce aux rapides et aux chutes de la région, qui ont permis aux scieries et aux moulins à bois de fonctionner. D'ailleurs, à la fin du XIXe siècle, les plus grandes scieries du monde étaient regroupées autour des chutes Chaudières, à Ottawa.

Le bruit des arbres qu'on abat continue de retentir dans les forêts. C'est au Québec, la plus grande province canadienne, qu'on retrouve les plus imposants peuplements forestiers au sud du 60e parallèle. Cette province produit d'ailleurs les deux cinquièmes du papier au pays. L'exploitation forestière se déplace vers de nouveaux territoires. En effet, l'Initiative boréale nord, un projet du gouvernement de l'Ontario, permettra l'ensemencement de plusieurs millions d'hectares d'espèces à croissance lente, comme l'épinette noire.

Le Saint-Laurent et les Grands Lacs comptent de nombreuses îles. Trois cents personnes habitent l'île d'Anticosti, au relief accidenté et marécageux. La superficie de cette île, située à l'embouchure du Saint-Laurent, est supérieure de 2 000 kilomètres carrés à celle de l'Île-du-Prince-Édouard et constitue également le refuge de 100 000 cerfs de Virginie. Plus à l'ouest, en aval de Québec, se trouve Grosse Île, qui a été le poste de quarantaine du Canada de 1832 à 1937 et le premier point d'entrée au pays pour de nombreux immigrants. Puis, au-dessus des rapides de Lachine, s'étendent les îles qui forment le cœur de Montréal, une ville où habite plus du dixième de la population du Canada.

« Y a des jours de plaine où l'on entend nos grands-pères dans le vent. »

Daniel Lavoie
Jours de plaine, 1990

En Ontario, « l'éternelle beauté », les Mille-Îles — en fait, il en existe 1 149 — joignent le Saint-Laurent aux Grands Lacs. Les îles appelées Trente Mille Îles, un deuxième groupe d'îles qui se distinguent par leur nombre, entourent la baie Georgienne. Manitoulin, la plus grande île intérieure du monde, est située à l'extrémité nord de la baie.

L'Atlantique

« … un bloc de terre massif, l'extrémité de la mer, la limite de toutes les eaux du monde, un vaste ciel dans lequel s'estompent des amas de rochers. » [traduction] Cette image de Terre-Neuve, qu'on doit à l'écrivain Wayne Johnston, s'offrait aux yeux des nombreux marins, pêcheurs et immigrants qui sont arrivés au Canada après avoir traversé l'Atlantique.

(Page 26)

Chouette rayée,

parc de la Gatineau.

Photo de

J. David Andrews,

Masterfile.

(Page 27)

Empreintes laissées par

une chouette rayée.

Photo de

J. David Andrews.

Bien qu'elles occupent une grande place dans l'histoire des débuts de la colonisation au Canada, les trois provinces maritimes — l'Île-du-Prince-Édouard, la Nouvelle-Écosse et le Nouveau-Brunswick — ne représentent que 1,4 % du territoire canadien, alors que Terre-Neuve-et-Labrador en représente 4,1 %. Les 2,3 millions d'habitants de ces quatre provinces composent 7,6 % de la population nationale.

La côte bordant l'Atlantique au nord, située aux mêmes latitudes que les îles britanniques, est sculptée par le courant du Labrador, coulant vers le sud de la mer du Labrador et transportant les magnifiques icebergs qui se détachent de la calotte glaciaire du Groenland. Ces « morceaux » du Canada, flottants et temporaires — qu'on appelle « bourguignons » ou « bergy bits » sur la côte Est — peuvent entraîner la formation d'autres icebergs.

Les provinces de l'Atlantique, dont les rives sont érodées par l'océan du même nom, offrent un littoral accidenté aux eaux salées de la mer. Chaque jour, ces eaux inspirent et expirent au rythme des marées. C'est à Burntcoat Head, dans la baie de Fundy, qu'on enregistre l'amplitude de la marée la plus importante du monde. En effet, le niveau de l'eau peut monter et descendre de la hauteur d'un immeuble de cinq étages en une journée.

Le Nouveau-Brunswick, dont la forme ressemble à un carré et dont les quatre cinquièmes sont encore boisés, ne possède qu'une île importante, l'Île du Grand Manan. Le cap Breton appartient à la Nouvelle-Écosse et a été rattaché au continent en 1955 grâce à la levée de Canso. Enfin, l'Île-du-Prince-Édouard est la seule province du Canada complètement entourée par la mer. On n'y avait accès que par traversier jusqu'à ce que le Pont de la Confédération, d'une longueur de 13 kilomètres — le plus long pont du monde enjambant des eaux prises par les glaces —, le relie au Nouveau-Brunswick en 1997.

Les Autochtones de la côte, les Micmacs dans les Maritimes et les Inuits au Labrador, ont tiré —et continuent de tirer — leur subsistance de la mer, malgré l'arrivée de nombreuses vagues successives d'immigrants. Au cours des années 1750, les Acadiens francophones qui vivaient près de la baie de Fundy ont, à leur tour, été expulsés de leur patrie par les Britanniques durant les guerres entre la France et l'Angleterre. Il a fallu des siècles avant que plusieurs d'entre eux n'y retournent et ne fassent entendre leur voix de nouveau. Les habitants des Maritimes savent que la vie près de la mer, tout comme la mer elle-même, est agitée mais obstinée.

La veille météorologique

« Les douleurs arthritiques sont un signe qu'il va pleuvoir » et le comportement inhabituel de certains bovins dans nos champs à l'approche de la pluie sont, aux yeux des Canadiens, autant d'indices pour prévoir le temps qu'il fera. Chez nous, ces prédictions sont pratiquement devenues un sport national. Même les rongeurs sont mis à contribution, comme Wiarton Willie, la marmotte ontarienne qui, selon qu'elle voit son ombre ou non lorsqu'elle sort de son hibernation, présage la durée de l'hiver.

Toutefois, si les bovins et la marmotte Wiarton ne « jouent pas leur rôle convenablement », Environnement Canada fournit aux Canadiens les prévisions les plus scientifiques de la température qu'il fera. Ainsi, nous entendons à la radio les annonceurs rapporter avec courtoisie les prévisions d'Environnement Canada : « Aujourd'hui, le temps sera couvert, accompagné de pluie intermittente. Grêle possible au cours de la nuit prochaine. Demain, on prévoit du soleil et, pour la fin de semaine, de la pluie. »

La glace et la neige qui recouvrent de vastes étendues du territoire canadien, y compris les milliers de glaciers de toutes tailles éparpillés un peu partout au pays — on en dénombre pas moins de 1 616 dans le seul bassin hydrographique du fleuve Nelson —, jouent un rôle essentiel dans l'équation de l'énergie qui détermine notre climat. Cette glace et cette neige servent de couverture, retenant la chaleur tout en réfléchissant celle qui vient de l'extérieur. Comme le canari dans une mine, l'état de la cryosphère est un indicateur des tendances climatiques.

« Il y avait vraiment tout pour une journée parfaite; un peu de vent doux, du soleil, et ces belles vagues dans lesquelles il était amusant de courir. »

Gabrielle Roy
Mon cher grand fou...
Lettres à Marcel Carbotte, 2001

Bien que le record absolu de basse température enregistrée au Canada soit un glacial
-63 °C, observé à Snag, au Yukon, le 3 février 1947 — c'est-à-dire le lendemain de la
sortie de la marmotte —, le climat du pays se réchauffe. Les années 1990 ont été la
décennie la plus chaude depuis qu'on enregistre ce genre de données, et l'année 1998
a été la plus chaude du dernier millénaire — un indice que le nord se réchauffe. Une
des conséquences de ce réchauffement est que la glace de mer recouvrant l'Arctique a
diminué d'un huitième au cours du dernier quart de siècle, si bien que le passage du
Nord-Ouest est devenu plus navigable.

Du vent et de l'eau

Le Canada se distingue non seulement par sa géographie, mais aussi par la force des
vents qui y soufflent et par l'abondance de l'eau qu'on y trouve. Qui dit eau pense
d'abord aux chutes Niagara, par lesquelles les eaux du lac Érié se déversent dans le lac
Ontario, puis, aux chutes Delta, en Colombie-Britannique. Ces dernières, d'une hauteur de
440 mètres, sont les chutes d'eau les plus élevées du Canada. Il y a également tout un
réseau de cours d'eau imposants, notamment le Mackenzie, dont les 4 241 kilomètres en
font le fleuve le plus long du Canada. Enfin, il y a le réseau des cinq Grands Lacs — les
lacs Érié, Huron, Michigan, Ontario et Supérieur — au cœur du pays. Le lac Supérieur est
la plus vaste étendue d'eau douce du monde. Nos voies navigables témoignent de l'étendue et de la puissance de l'eau dans le paysage du Canada. Un peu moins du dixième
du territoire canadien, soit 891 163 kilomètres carrés, est recouvert d'eau douce. En
Ontario, cette proportion atteint 14,7 % et est la plus élevée au pays.

L'exploitation des ressources hydriques par les Canadiens constitue une entreprise perma-
nente. Les Canadiens sont passés maîtres dans l'art d'exploiter le potentiel hydrique des
cours d'eau pour assurer l'approvisionnement des foyers et des entreprises en électricité.
L'utilisation de l'eau va du Projet de la baie James, dans le Nord du Québec, où se trouve
la plus importante installation de régularisation des eaux formée de 215 barrages distincts
initiaux, aux postes de filtration locaux.

Les événements survenus à Walkerton, en Ontario, ont sonné l'alarme. En 2000, les
5 000 habitants de cette petite ville située aux abords de la rivière Saugeen ont été

Cabane de pionniers près de
Telkwa, Colombie-Britannique.
Photo de Lorne Clarke.

exposés à une contamination à l'*E. coli,* qui a entraîné la mort et qui a poussé les autorités à améliorer leurs méthodes de gestion des eaux partout au pays. Grâce à un effort concerté, on est aussi parvenu à réduire le niveau de pollution du fleuve Saint-Laurent, où le problème avait atteint un niveau alarmant. Des patrouilles spéciales ont été formées pour surveiller les eaux du lac Ontario, à l'affût de tout ce qui pourrait en provoquer la dégradation.

Le vent porte beaucoup de noms au Canada. Dans les Prairies, un chinook s'appelle un « snow-eater » (mangeur de neige), alors qu'à l'île d'Ellesmere, il souffle parfois un vent qu'on appelle « cow storm », parce qu'on le dit assez fort pour écorner un bœuf musqué. À Terre-Neuve, il existe même un vent auquel on a donné le nom de « wreckhouse », assez violent pour faire dérailler des wagons de chemin de fer.

Parfois, un vent peut être intimement associé à un territoire donné et parfois, à un paysage urbain. Ainsi, on prétend que l'intersection des rues Portage et Main, à Winnipeg, est le coin de rue le plus venteux au Canada. Fréquemment, le vent apporte du bon air pur du Nord du pays, mais il arrive aussi qu'il transporte des polluants atmosphériques. Selon Environnement Canada, la pollution atmosphérique serait responsable du décès d'environ 5 000 Canadiens chaque année. Rien d'étonnant à cela, puisque les émissions de gaz à effet de serre ont augmenté de 15 % au pays par rapport à 1990.

Les plantes et les animaux

Les arbres nous sont utiles. Plus du quart des 134 espèces indigènes du Canada sont considérées comme ayant des vertus médicinales. Ainsi, l'écorce de saule peut soulager les maux de tête lorsqu'on la mâche, car elle contient de la salicine, l'ingrédient actif de l'acide acétylsalicylique. Le vénérable if occidental de la Colombie-Britannique, quant à lui, fournit le paclitaxel, un composé utilisé pour traiter le cancer.

La flore et la faune canadiennes sont importantes aussi bien pour notre bien-être socio-économique que pour notre santé physique. Pas moins de 86 % des Canadiens interrogés dans le cadre d'une enquête menée en 1991 estimaient qu'il fallait s'efforcer de conserver la faune et la flore de notre pays. Et les citoyens de notre pays sont presque aussi nombreux à penser qu'il faut protéger les espèces menacées. Depuis sa publication, en 1898, l'ouvrage *Wild Animals I Have Known,* du naturaliste Ernest Thompson Seton, compte parmi les livres qui se sont vendus le mieux au Canada.

Enfin, depuis que Charles Dickens, en visite au Canada en 1842, a écrit que sa première impression de notre pays était que tout semblait empreint de beauté et de paix, 12 espèces sauvages canadiennes ont disparu. Seize autres espèces sont devenues introuvables sur notre territoire. Il appartient au Comité sur le statut des espèces menacées de disparition au Canada de surveiller étoitement l'évolution annuelle de la situation des animaux et des plantes — des mammifères aux mousses — et de produire un rapport. En mai 2001, pas moins de 197 espèces étaient considérées comme en péril ou menacées de disparition, alors que la situation de 155 autres espèces était jugée « particulièrement préoccupante ».

Le faucon pèlerin a été choisi comme mascotte par le mouvement de protection des espèces afin de favoriser le déploiement d'efforts concertés pour sauver d'autres espèces en péril. On a observé un rétablissement spectaculaire des populations de faucons pèlerins après que l'espèce eut été désignée en péril, en 1978, puis menacée d'extinction, en 2000. En 1941, on ne dénombrait plus que 21 grues blanches dans tout le Canada. En 2001, leur nombre était passé à 177. De plus, on compte 204 de ces oiseaux retenus en captivité dans le cadre d'un programme canado-américain de rétablissement de l'espèce. En 1978, le renard véloce a été réintroduit dans la nature sauvage canadienne et il y est resté — voilà une espèce parmi des milliers à se trouver chez elle au Canada.

« *Terre canadienne! Tu me donnes vie... Tu portes mes pas... Tu prends mes derniers rêves.* »

Ginette Lavoie
Réviseure principale
Un portrait du Canada, 2002

J'ai grandi à Esterhazy en Saskatchewan, une localité en majorité hongroise. À une douzaine de milles de là se trouve la ville de Stockholm — et devinez qui y habite. Celle-ci est tout près de St. Istvan, une localité tchèque. Les Finlandais vivaient dans la vallée de la Qu'Appelle et les Allemands à Langenburg.

Et tous ces gens s'entendent bien parce qu'ils partagent des principes typiquement canadiens : la tolérance, le civisme, la démocratie et l'accueil des nouveaux arrivants.

Je suis tout simplement mais passionnément fier d'être citoyen d'un tel pays.

Guy Vanderhaeghe, écrivain

Les rues Yonge et
Wellesley, Toronto.
Photo de Pamela Harris.

LA POPULATION

« Nous vivons tous dans des villages », écrit Stuart McLean, communicateur et auteur des textes de l'émission *Vinyl Cafe*. « Le mien est situé au cœur d'une grande ville. Il y a Sam, le dépanneur du coin, Pasquale, le boulanger. On y trouve également la librairie et la bibliothèque du quartier. Il y a les professeurs qui enseignent à mes fils cette année, les parents qui se rassemblent à l'aréna pour voir le match de hockey du samedi matin, mes voisins, mes lieux de rencontre favoris, ma famille, la ville où j'ai grandi. » [traduction]

Pour beaucoup d'entre nous, le monde est fait de ces petits espaces. Que nous nous rencontrions dans des arénas, des cafés-restaurants, des épiceries, des boulangeries ou des librairies, nous avons nos lieux de prédilection typiquement « canadiens » où nous nous sentons chez nous au milieu de la grande ville. En fait, près de huit Canadiens sur dix vivent en milieu urbain — et nous sommes 30 millions. Même si le Canada est un pays de grands espaces, nous sommes surtout des citadins.

Les villes du Canada témoignent de façon dynamique de nos origines et de notre identité comme peuple. Nous retrouvons partout sur notre territoire des traits architecturaux frappants et distincts : les balcons des petits édifices de Montréal, les « salt box houses » aux vives couleurs du Canada atlantique — ces maisons à deux étages dont le toit est dissymétrique — et les résidences de style « reine Anne » rajeuni des vieux quartiers de Victoria ou de Winnipeg. Notre architecture est en perpétuelle transformation, témoignant des changements de nos valeurs esthétiques et économiques — les vastes centres commerciaux faisant concurrence aux grands magasins historiques du centre-ville. À Ottawa, le Musée des beaux-arts du Canada, tout en verre et en acier — un éloge à l'esprit créateur — partage le paysage urbain avec l'édifice de la Monnaie royale canadienne, monument de pierre et de mortier qui rappelle une époque plus ancienne.

Le Canada est indéniablement un pays où l'immigration occupe une place importante. Il suffit de parcourir les rues de n'importe quelle grande ville pour reconnaître les traces de nos racines dans l'architecture de nos immeubles, dans notre cuisine nationale et dans nos visages. Mordecai Richler a écrit, à propos de la rue Saint-Urbain où il habitait à Montréal : « Deux rues au sud de la nôtre se trouvait la "Main", riche en plaisirs […] pouvant combler tous les appétits… [ici] on m'a acheté un nouveau complet et des chaussures. On a également acheté des fruits, de la viande et du poisson. Il y avait aussi le blanchisseur chinois, le chapelier italien et des prêtres canadiens-français qui déambulaient. » [traduction]

La société canadienne d'aujourd'hui est un microcosme du monde. Des gens originaires de près de 190 pays sont venus s'y établir. Les dômes en forme d'oignon, les clochers d'église et les minarets se découpent à l'horizon de nos villes. Sur les menus du pays, le maïs — aliment de base de nombreux peuples autochtones — côtoie maintenant la tourtière, le pudding Yorkshire, le shawarma, le chow mein, les pirogui et les sushis, autant de délices qu'ont apportés avec eux les vagues successives de nouveaux arrivants.

Les Autochtones racontent la légende de leurs ancêtres, venus au pays à dos de tortue ou par la ruse du Corbeau. Les Scandinaves ont accosté à L'Anse aux Meadows, à Terre-Neuve, dès 990. Les Français s'y sont installés au début des années 1600, bien avant la fondation du Canada, puis, vers 1760, sont arrivés des marchands britanniques. Les Loyalistes de l'Empire-Uni, quant à eux, y ont élu domicile après la Révolution américaine, puis les Écossais et les Irlandais y sont venus par vagues au cours des années 1840.

Cependant, l'immigration a véritablement pris un tournant et a commencé à s'intensifier peu après la Confédération, lorsque Sir John A. Macdonald et le Parti conservateur ont proposé un plan d'action : la Politique nationale. En vertu de ce plan, le gouvernement devait construire un chemin de fer national qui relierait toutes les parties du pays. Il diffuserait de la publicité partout dans le monde, promettant des terres pour attirer des colons vers les grands espaces sauvages de l'Ouest canadien.

En 1885, le dernier crampon était enfoncé dans le chemin de fer transcontinental et, au cours des années précédant la Première Guerre mondiale, les immigrants ont commencé à arriver en nombre encore jamais égalé. Durant la seule année 1911, le Canada a ouvert ses frontières à plus de 330 000 immigrants, et en 1913, il en accueillait 400 000 autres. Dans les dix années précédant la Première Guerre mondiale, près de 2,5 millions d'immigrants se sont établis au Canada, si bien qu'en 1914, la population du pays atteignait presque 8 millions d'habitants, dont à peu près 50 % étaient des citadins.

« Pareille à la mère était la fille, dans son attente du chasseur qui ne revenait pas... »

Bernard Assiniwi
À l'indienne, 1973

Les chiffres de population comprennent aujourd'hui les descendants des Russes, des Autrichiens, des Scandinaves, des Écossais, des Anglais et des Irlandais, ainsi que ceux des Noirs qui ont emprunté clandestinement le chemin de fer pour échapper à l'esclavage. Ils incluent également des Chinois, dont les ancêtres ont participé à la construction du premier chemin de fer national au Canada, et des Japonais qui, des confins des camps de concentration canadiens, ont été témoins d'une guerre mondiale.

Au cours des années 1960, on a modifié la politique d'immigration, ce qui a permis d'éliminer bon nombre d'obstacles à l'accueil d'immigrants non européens. Pendant au moins la dernière décennie, les nouveaux arrivants au Canada venaient principalement de l'Asie. En fait, en 1996, à peu près 21 % de tous les membres des minorités visibles au Canada étaient originaires de l'Asie du Sud et une autre tranche de 27 % étaient Chinois. Environ 17 % des Canadiens étaient nés ailleurs. Ceux qui étaient nés en Europe étaient plus susceptibles d'être arrivés avant 1971.

La majorité des membres des minorités visibles — soit huit personnes sur dix — vivent dans les plus grandes villes du Canada, c'est-à-dire à Ottawa, Montréal, Toronto et Vancouver. À Toronto, par exemple, les Chinois constituent de loin la plus importante minorité visible, suivis des personnes originaires de l'Asie du Sud et des Noirs.

Récemment, on s'est beaucoup préoccupé du prétendu « exode des cerveaux », ces travailleurs quittant le Canada pour se diriger particulièrement vers les États-Unis. En réalité, les chiffres sont relativement faibles. En 1997, le nombre de Canadiens qui sont allés vivre en permanence aux États-Unis représentait moins de 1 % de la population active du Canada. Pour chaque diplômé universitaire qui part s'installer au sud de nos frontières, quatre diplômés arrivent au Canada en provenance d'autres pays. En fait, le nombre d'émigrants n'a dépassé le nombre d'immigrants qu'une seule fois dans l'histoire du pays, soit pendant la Grande Crise des années 1930.

Il semble que le Canada soit depuis longtemps capable d'attirer et de garder les gens qui sont prêts à prendre des risques et à repartir à zéro.

Le vieillissement de la population

Bien que le Canada soit un pays encore relativement jeune — 135 ans en 2002 —, sa population n'en vieillit pas moins. En 1914, le ménage canadien moyen se composait de 4,8 personnes, surtout des jeunes. Quelque 33 % d'entre nous étaient des enfants et seulement 5 % avaient plus de 65 ans. Aujourd'hui, les enfants nés dans les deux décennies suivant la Seconde Guerre mondiale vieillissent. Environ 20 % des Canadiens sont des enfants de 15 ans et moins, et le ménage moyen se compose de tout juste 2,6 personnes. Les familles sont plus petites et une plus grande proportion de femmes sont sur le marché du travail.

Aujourd'hui, on estime à 3,9 millions le nombre de Canadiens ayant 65 ans et plus, chiffre qui représente 13 % de la population. D'ici 2041, environ 23 % de tous les Canadiens auront 65 ans et plus. C'est le segment le plus âgé de la population, soit les personnes de 85 ans et plus, qui affiche la croissance la plus rapide. En 2001, on estimait à 431 000 le nombre de Canadiens de 85 ans et plus, ce qui représente plus du double du chiffre enregistré en 1981 et 20 fois plus que celui de 1921.

L'espérance de vie des aînés s'est sensiblement accrue. Une femme née en 1920 pouvait espérer vivre 61 ans et un homme, 59 ans, alors qu'une femme née au cours des années 1990 peut espérer atteindre 81 ans et un homme, 75 ans. L'écart de l'espérance de vie entre les sexes est attribuable au fait que les hommes sont plus susceptibles de contracter des maladies dont on meurt relativement vite, alors que les femmes sont roportionnellement plus nombreuses à contracter des maladies chroniques et débilitantes.

Non seulement formons-nous une société vieillissante, mais notre taux de croissance a également ralenti. Dans toutes les populations, des bébés naissent, des aînés meurent, des gens s'installent ailleurs et d'autres arrivent au pays. Au Canada, dans les 12 mois se terminant en juin 2001, on a enregistré plus de 330 000 naissances et 227 000 décès. Quelque 252 000 personnes sont venues d'autres pays, alors que 65 000 autres ont quitté le Canada. Lorsque les démographes prennent tous ces chiffres en considération, ils constatent que le taux de croissance au Canada est plus faible qu'il ne l'a jamais été à aucune autre période de son histoire, sauf en 1930 et en 1980. En fait, pour la première fois en 100 ans, notre taux de croissance est plus faible que celui des États-Unis.

Jamais les Canadiennes n'ont eu moins d'enfants qu'aujourd'hui. En effet, notre taux d'accroissement naturel diminue de façon constante depuis au moins dix ans. Ce taux est

« Entre l'enfance et la vieillesse, il y a l'espace d'une vie, le temps de quelques amitiés et d'un grand amour de jeunesse. »

Anonyme

Cinq générations.
Photo de Ted Grant,
MCPC.

Première communion.
Photo de Clara Gutsche,
MCPC.

Sur son trente et un.
Photo de David Trattles.

Les épouses de guerre « Beaucoup de jeunes femmes avaient épousé des soldats " séduisants et irresponsables " et se trouvaient plus tard dans un train, traversant un pays étranger dans l'obscurité de l'hiver. Les maris voulaient-ils toujours d'elles? Quelle serait la réaction des parents de leur conjoint? Nous les avons laissé filer vers l'ouest. Le train s'arrêtait parfois à 3 h dans une petite localité, et il fallait des heures pour retrouver leurs malles dans le fourgon à bagages. Tous leurs biens étaient dans ces malles — couvertures, vêtements, couverts, cadeaux de noce…

Le véritable choc s'est produit à Calgary. Personne n'est venu chercher les seize épouses oubliées. Certaines d'entre elles étaient en larmes et avaient un grand besoin d'être rassurées. Ce n'est pas parce que les maris ne sont pas venus les chercher qu'ils ne les aimaient pas. C'est simplement qu'ils avaient été mal renseignés quant à l'heure d'arrivée du train. » [traduction]

Cette anecdote anonyme, rapportée par Ted Ferguson dans son ouvrage intitulé *Sentimental Journey: An Oral History of Train Travel in Canada*, décrit l'une des plus singulières vagues d'immigration de l'histoire du Canada : celle des épouses de guerre.

Le premier mariage entre une Britannique et un soldat canadien a eu lieu en Angleterre 43 jours seulement après l'arrivée des troupes

Haarlem, les
Pays-Bas, 1945.
Avec la permission de
Lloyd et Olga Rains.

canadiennes au Royaume-Uni, à la fin de 1939. Après la Seconde Guerre mondiale, près de 45 000 femmes, le plus souvent accompagnées de jeunes enfants, ont quitté familles, amis et pays pour émigrer au Canada en tant qu'épouses de nos soldats. La plupart d'entre elles (93 %) étaient Britanniques, mais beaucoup étaient originaires des Pays-Bas, de France, de Belgique et d'Italie.

Comme la plupart des immigrants des années d'après-guerre, la majorité des épouses de guerre sont arrivées à bord d'un transatlantique au quai 21, à Halifax, puis se sont dispersées, voyageant en train vers différentes destinations au pays. Au fil du temps, leurs histoires d'amour, leurs voyages et leur esprit ont enrichi le tissu culturel et historique du Canada.

Dans le livre *The War Brides*, édité par Joyce Hibbert, une jeune mariée se souvient des années qu'elle a passées dans la brousse : « Durant les premières années, notre maison, qui mesurait huit pieds sur quarante, ressemblait à un hangar et nous l'avons aménagée pour qu'elle soit habitable. Deux de nos enfants sont nés alors que nous y vivions. Notre " maison " se trouvait dans la brousse, entourée de rosiers sauvages et de broussailles, comme ceux que l'on retrouve en Saskatchewan. Toute cette beauté compensait l'habitation plutôt étrange dans laquelle nous vivions. » [traduction]

Garçons huttériens.
Photo de
George Webber.

obtenu en comparant le nombre de naissances au nombre de décès. Entre 1996 et 2001, les immigrants ont représenté plus de la moitié de la croissance de la population canadienne. Si la tendance démographique en cours se maintient et si les niveaux d'immigration actuels demeurent stables, on prévoit que le taux de croissance de la population du Canada diminuera d'ici 2046. Selon les prévisions de Statistique Canada, sans les immigrants, la population canadienne commencerait même à baisser d'ici 2026.

Nos langues

Dans le roman de Michael Ondaatje, *La peau d'un lion*, Nicholas est un immigrant ne pouvant parler que la langue de son pays d'origine. Après être arrivé au Canada, il fréquente une école de langue avant de travailler à la construction d'un pont érigé bien au-dessus du sol. Ironiquement, écrit Ondaatje, « Pour Nicholas, le langage [était] bien plus difficile que ses prouesses. »

L'histoire de Nicholas témoigne bien des difficultés auxquelles font face de nombreux néo-Canadiens. Les données complètent le tableau : en 1998, environ 290 000 personnes étaient inscrites dans des écoles de langue pour y apprendre le français ou l'anglais, et près de quatre personnes sur dix étaient des étudiants étrangers.

Les Canadiens parlent les deux langues officielles du Canada, le français et l'anglais, dans des proportions de 23 % et 69 % respectivement. Par ailleurs, les langues non officielles, ou « langues ancestrales », sont parlées dans 11 % des foyers du pays. Certaines sont parlées par des Autochtones, mais la plupart ont été introduites par des immigrants.

Les statistiques sur la langue nous indiquent exactement l'ampleur du changement survenu au fil du temps, en ce qui concerne l'utilisation des langues ancestrales par la population. En 1941, l'allemand et l'ukrainien étaient les langues ancestrales les plus couramment parlées au Canada. Aujourd'hui, le chinois constitue la langue ancestrale la plus courante,

suivi de l'italien et de l'allemand. Le panjabi, l'arabe et le tagal prennent de l'importance, étant donné que nous accueillons un plus grand nombre d'immigrants de l'Inde, du Moyen-Orient et des Philippines. On entend parler le chinois surtout à Toronto et à Vancouver, l'italien à Montréal, le portugais à Kitchener, en Ontario, et le tagal, la langue parlée aux Philippines, à Winnipeg.

Les Premières Nations

La note qui suit — empreinte de fierté — figure dans le rapport de la Commission royale sur les peuples autochtones de 1996 :

« Les peuples européens n'ont pas découvert une immensité sous-développée : ils ont été accueillis avec pompe et cérémonie sur le territoire de nations établies. Ils n'ont pas rencontré des sauvages pittoresques vivant à l'état naturel : ils sont entrés en contact avec des sociétés ayant des lois et des cultures anciennes, avec des peuples ayant chacun leur langue et leur histoire, des peuples qui s'étaient dotés de structures politiques et sociales développées, débordant le cadre de la famille, du clan ou de la collectivité. »

La vie, la beauté, l'esprit, 1998. Jane Ash Poitras, Galerie d'Art Vincent.

En effet, ces sociétés formaient des civilisations complexes ayant de vastes réseaux commerciaux et diplomatiques. À l'arrivée des premiers Européens, les Autochtones qui vivaient dans le Canada d'aujourd'hui parlaient quelque 50 langues appartenant à 12 familles linguistiques distinctes. De nos jours, environ trois Autochtones sur dix peuvent toujours soutenir une conversation dans l'une de ces langues.

En 1996, environ 800 000 Canadiens ont déclaré être des Autochtones. Parmi eux, 69 % étaient des Indiens de l'Amérique du Nord, 26 %, des Métis et 5 %, des Inuits. Plus de la moitié de ces personnes vivaient dans des régions rurales ou éloignées, et un peu moins de 30 %, dans des régions métropolitaines. Winnipeg est la ville où l'on compte le plus grand nombre d'Autochtones, soit approximativement 46 000 ou 7 % des résidents.

La population autochtone est généralement plus jeune que l'ensemble de la population canadienne. Ainsi, bien que les Autochtones ne représentent que 3 % de la population du

Canada, 5 % de tous les enfants canadiens sont des enfants autochtones. Au Manitoba et en Saskatchewan, 20 % de tous les enfants sont des Autochtones.

Les endroits éloignés, les taux de naissance élevés et une vie familiale parfois instable — moins de 50 % des enfants autochtones de 15 ans et moins vivent avec leurs deux parents — ont posé des défis par rapport à l'éducation des enfants autochtones. Les taux d'abandon scolaire sont élevés. Environ 4 % seulement des Autochtones de 15 ans et plus sont titulaires d'un diplôme universitaire, comparativement à 19 % dans l'ensemble de la population canadienne. Toutefois, un vent de changement s'est levé. Le seul collège autochtone du Canada, le Saskatchewan Indian Federated College, vient tout juste de célébrer son 25e anniversaire. L'Université de la Saskatchewan compte à l'heure actuelle 2 300 étudiants autochtones dans ses rangs, soit plus d'étudiants autochtones que dans toute autre université canadienne.

La vie de famille

« Le loyer s'élevait à quarante-cinq dollars par mois et mon salaire hebdomadaire ne dépassait pas cinquante dollars », se souvient l'écrivain Pierre Berton, à l'époque où, jeune marié, il emménageait dans un appartement à Vancouver, en 1946. « Notre studio était tellement petit que, lorsque le lit-placard était ouvert, il remplissait la pièce. La cuisine n'était guère plus grande qu'un placard à balais. » [traduction]

La vie après le mariage peut commencer dans un modeste logement locatif meublé d'un lit-placard, mais la plupart des Canadiens rêvent de posséder une maison, aussi simple soit-elle. En fait, l'achat d'une maison constitue l'investissement le plus important d'une vie, plus encore qu'un régime enregistré d'épargne-retraite.

L'hypothèque représente plus de 75 % de la dette des propriétaires-occupants au Canada, alors que 36 % de tous les ménages choisissent de louer leur logement. Près de 56 % des ménages vivent dans des maisons unifamiliales et plus de 30 %, dans des appartements. La plupart des résidents déclarent que leur maison les loge confortablement. Plus de 75 % des chefs de ménage canadiens disent que leur maison ne nécessite aucune réparation, et une autre tranche de 16 % affirment que seules des réparations mineures sont requises.

Au Canada, notre logement semble influer sur nos rapports avec les autres habitants du village, du quartier et de la ville. En 1996, environ huit personnes sur dix vivant dans des maisons unifamiliales entretenaient des rapports avec leurs voisins. La proportion chutait à sept sur dix chez les personnes habitant dans des maisons à deux logements et des maisons en rangée, et à six sur dix chez celles qui vivaient en appartement.

Les habitants des régions rurales ont plus de contacts avec leurs voisins que ceux des régions urbaines. Les familles époux-épouse sont susceptibles d'avoir plus de contacts avec leurs voisins que les familles monoparentales ou que les personnes vivant seules, et les aînés socialisent considérablement plus que les jeunes adultes.

Le désir de vivre dans une forme quelconque de collectivité demeure constant dans la société canadienne. En effet, 85 % des Canadiens vivent en famille alors que moins de 10 % vivent seuls. Pourtant, de nombreux liens sociaux qui unissaient auparavant les familles se désagrègent. Si le mariage au sens juridique du terme a officialisé les histoires d'amour, il arrive souvent que la promesse de bonheur dans le mariage tourne au vinaigre et que la rupture y mette fin. On compte néanmoins de plus en plus de couples en dehors des unions officielles, mais ceux-ci sont toujours à la poursuite du même idéal : la sécurité et le confort de la vie familiale.

En 1968, la *Loi sur le divorce* instaurait la notion de divorce sans tenir compte des torts qui ont conduit à la rupture du mariage, si bien qu'en deux décennies, le taux de divorce au Canada a connu une ascension fulgurante, passant à 362 couples pour 100 000 personnes. Afin de situer ce chiffre dans une perspective historique, disons qu'en 1921, le taux de divorce s'établissait à 6,4, un chiffre qui a plus que doublé en 1936, pour atteindre 14,3. Après la Seconde Guerre mondiale, le taux a grimpé à 63,1 puis a chuté à nouveau à 37,6 en 1951.

Malgré les risques que ces chiffres laissent entrevoir, les Canadiens continuent de former des couples tant dans le mariage qu'en dehors des liens du mariage. Aujourd'hui, environ le tiers des couples mariés finiront par divorcer. En 1998, le taux de divorce se situait à 228 pour 100 000 personnes. Par ailleurs, le nombre de jeunes couples qui forment maintenant des ménages sans être mariés est si élevé que d'ici 2020, il est fort possible qu'il y ait autant d'unions de fait que de mariages au Canada. Les unions de fait ne sont pas à l'abri des tempêtes et des stress causés par la dissolution des mariages. La moitié de tous les couples vivant en union de fait y mettent fin dans les cinq ans suivant sa formation. En outre, les femmes dans la trentaine et la quarantaine dont la première union conjugale était une union de fait sont presque deux fois plus susceptibles de se séparer ou de divorcer que les femmes dont la première union était scellée par les liens du mariage.

« *Un enfant, c'est la seule véritable garantie d'éternité.* »

Arlette Cousture
Les filles de Caleb, 1985

Une maman et sa fille
sur un rocher.
Droit d'auteur
Peter Sibbald, 1998.

« Zappy Red Riding
Hood ».
Droit d'auteur
Peter Sibbald, 1998.

La famille nucléaire d'autrefois — composée de maman, de papa, des trois enfants et du chien — cède maintenant la place à différentes formes d'unions, et il n'est pas étonnant de constater qu'un plus grand nombre de bébés naissent en dehors des liens du mariage. Les familles reconstituées — formées d'enfants issus de différentes unions — ne cessent d'augmenter. Elles occupent maintenant le devant de la scène avec les familles mono-parentales et biparentales. En effet, près de 9 % des enfants canadiens vivent dans des familles reconstituées.

Entre 1981 et 1991, la proportion de personnes ne déclarant aucune appartenance religieuse a augmenté, passant de 7 % à 13 %. Bien que la participation mensuelle à des services religieux ait considérablement diminué au cours de la dernière décennie, environ 34 % des adultes déclarent assister à un service religieux au moins une fois par mois. Les Canadiens plus âgés, les immigrants et les habitants des régions rurales ou des petites villes affichent des taux de participation aux activités religieuses plus élevés.

Paysages urbains

« Le Canada, c'est une truite brune dans un champ de menthe [...] Le Canada, c'est un cerf dans une prairie », écrivait Dennis Tourbin dans son poème visuel *Le Canada, c'est*, en 1992. Au XXe siècle, A. J. Casson a consacré une grande partie de sa vie à peindre la douceur de vivre dans les villages du Canada : les maisons en bardeaux blancs, les érables de Norvège et les jardins à l'état sauvage. Grâce aux œuvres de A. J. Casson et de Charles Gagnon, ou à celles de Nicole Brossard et de Eleanor Bond, on a découvert de nombreuses interprétations poétiques et personnelles de nos paysages urbains et ruraux. Toutefois, s'il est vrai que les artistes témoignent de la réalité de notre quotidien, plusieurs de leurs messages visuels reflètent maintenant une réalité postindustrielle — une conséquence du puissant mouvement des Canadiens vers nos villes, loin de nos villages et de notre campagne.

En banlieue, les centres commerciaux et les patinoires de hockey sont les nouvelles places publiques de notre société. On s'y rencontre tout comme on le faisait autrefois au comptoir des boissons gazeuses de la pharmacie, sur la rue principale des villes et des petits villages du Canada. Nous adoptons de plus en plus le mode de vie citadin. La proportion de Canadiens vivant dans des régions rurales est passée de 43 % en 1951, à un peu

Hier encore Il existe de nombreuses façons de mesurer le temps qui s'écoule : les différents quartiers de la lune, le calendrier, la raideur des articulations… et « au début du trait prolongé, il sera exactement midi ». Notre poète québécois Félix Leclerc avait bien raison de dire : « Le temps passe. Nous aussi. »

Quant au changement, corollaire du temps qui fuit, il a été stable et constant au Canada depuis les débuts de son histoire officielle, en 1867. Quelques statistiques accompagnaient le tout début de la nation, comme en témoigne le premier *Annuaire du Canada*, également publié en 1867. Toutefois, une histoire plus nuancée a commencé à se dessiner vers la fin du XXe siècle et, en faisant la navette entre le passé et le présent, voici ce qu'on découvre :

En 1900, les femmes représentaient environ 13 % de la population active du Canada. Elles forment maintenant 46 % de la main-d'œuvre. Au début de ce siècle, elles n'occupaient aucun siège à la Chambre des communes. Aujourd'hui, elles en occupent 62 sur un total possible de 301. En 1900, une femme donnait naissance à 4,6 enfants en moyenne. Aujourd'hui, cette moyenne est tout juste de 1,6 enfant. Le ménage moyen, comptant à l'époque cinq personnes, était autrement plus animé qu'aujourd'hui, alors qu'il n'en compte que 2,6. De plus, environ 12 % des étudiants universitaires étaient des femmes, alors que maintenant, elles représentent jusqu'à 55 % de cette clientèle.

En 1900, la sonnerie du téléphone se faisait entendre dans près de 52 000 foyers canadiens. Aujourd'hui, on dénombre environ 23 millions de téléphones dans les ménages seulement, ce chiffre n'incluant pas les téléphones cellulaires, plus omniprésents que jamais.

Les chances étaient rares d'entendre un automobiliste klaxonner au volant du premier modèle T en 1900. En effet, il n'y avait que 178 voitures immatriculées — ces véhicules se retrouvant tous en Ontario. Aujourd'hui, on compte plus de 14 millions de voitures au Canada.

Il semble que les pugilistes avaient quelque peu gagné la faveur des premiers sportifs canadiens. En 1900, la boxe était l'un des sports les plus populaires, se classant après le baseball et tout juste avant la crosse. De nos jours, le golf, le hockey sur glace et le baseball sont, dans cet ordre, les sports comptant le plus grand nombre d'adeptes.

En 1900, il était possible d'écrire une lettre d'amour et de l'affranchir d'un timbre de deux cents. Aujourd'hui, il en coûterait 48 cents pour la poster. Toujours en 1900, le salaire annuel moyen des travailleurs s'élevait à 308 $. Aujourd'hui, les femmes gagnent en moyenne 23 000 $ et les hommes, 35 000 $.

La plupart des gens, dans une proportion de 63 %, vivaient à la campagne. De nos jours, près de 80 % des Canadiens vivent en ville. À l'époque, les villes n'étaient pas les mégacentres urbains agités qu'elles sont devenues aujourd'hui. Nous commencions notre histoire et, au Canada, ces débuts se faisaient à la campagne.

plus de 20 % en 2001, et tout juste plus de 64 % des Canadiens vivent maintenant dans des agglomérations de 100 000 personnes et plus.

La plupart d'entre nous vivent « dans l'antichambre de la frontière américaine », écrivait avec humour Stephen Leacock il y a plus d'un demi-siècle. C'est encore vrai de nos jours. Nous vivons pour la plupart à moins de 200 kilomètres des États-Unis. En fait, 22 % de tous les Canadiens sont regroupés dans une agglomération de villes comprenant la région du « Golden Horseshoe », qui s'étend sur plusieurs centaines de kilomètres autour de l'extrémité sud-ouest du lac Ontario. Le Grand Toronto compte à lui seul une population de 4,7 millions d'habitants, soit plus de quatre fois celle de la province du Manitoba.

Entre 1996 et 2001, la région de Toronto — qui couvre une toute petite superficie de 11 900 kilomètres carrés sur les 10 millions de kilomètres carrés au Canada — représentait presque 50 % de la croissance démographique du pays. Pourtant, malgré ce fait, la frontière n'est jamais très loin. Dans un pays aussi vaste que le nôtre, les citadins doivent rarement parcourir de longues distances pour découvrir ce que W. O. Mitchell appelait « ce grand territoire et cet immense ciel ». [traduction]

Le jour du déménagement

Au cours des années 1950, une jeune femme inuite de 20 ans, Minnie Aodla Freeman, qui habitait à Cape Hope Island, à la baie James, déménageait à Ottawa pour y travailler comme traductrice. Dans son récit *Ma vie chez les Qallunaat*, elle raconte son expérience :

« Jusque-là je n'avais prêté aucune attention aux noms des rues, me guidant plutôt selon la forme des magasins ou des panneaux publicitaires. Dans ma culture, j'avais appris à trouver mon chemin au moyen de points de repère [...] Chaque jour, je passais devant le Château Laurier, où je voyais devant l'entrée un grand panneau [...] je savais ainsi que j'étais sur le bon chemin. Un jour, cependant, le panneau n'est plus là, et subitement tous les édifices me paraissent identiques. »

Jour de déménagement.

Photo de Mike Beedell.

Minnie a finalement trouvé son chemin grâce à l'aide amicale d'un policier. Mais son récit nous en dit long sur nos déménagements dans ce vaste pays. Quelle que soit notre destination, ils constituent des événements personnels majeurs dont témoignent nos écrits et même nos chansons. Nous ne restons jamais longtemps à la même place. En effet, durant la seule année se terminant le 30 juin 2000, près de 1,3 million de personnes ont changé d'adresse au Canada.

Plus de 40 % de la population du Canada — et nous sommes maintenant 30 millions — changeront de logement tous les cinq ans. Certains iront à l'autre bout du pays, alors que d'autres traverseront seulement la rue. Plusieurs déménageront pour des raisons familiales, d'autres pour trouver du travail, et d'autres encore pour poursuivre l'indicible quête d'un foyer.

À vrai dire, l'un des grands constats du Canada est que bon nombre des premiers colons y sont venus à la recherche d'un domicile. Répondant à l'appel d'une nouvelle patrie en plein essor, ils sont arrivés des quatre coins du monde. Il n'est donc pas étonnant que l'esprit du vagabond erre toujours.

Minnie Aodla Freeman faisait d'ailleurs partie de la génération qui a changé la direction de la migration. Plus tôt au XXe siècle, un plus grand nombre de personnes déménageaient de l'Ontario vers une autre province. À la suite de l'expansion industrielle survenue durant les années 1940 et 1950, le nombre de personnes qui se sont installées en Ontario était plus élevé que le nombre de celles qui en sont sorties. Au cours de la dernière décennie, la principale destination était la Colombie-Britannique, alors que c'est maintenant l'Alberta qui attire les gens depuis la fin des années 1990.

Le bénévolat au Canada

L'histoire du bénévolat au Canada est aussi vieille que le pays lui-même, remontant même avant la Confédération. Dès 1639, en Nouvelle-France, les Sœurs Hospitalières ont dirigé la première mission médicale pour venir en aide aux Iroquois. Les familles des premiers colons canadiens ont survécu en grande partie parce qu'elles s'entraidaient à surmonter les rigueurs du climat du pays, les difficultés que posaient la construction de maisons et le fait de vivre dans un pays étranger.

En 1885, une force de la milice est partie du Canada central dans le but de réprimer la Rébellion du Nord-Ouest qui sévissait dans ce qu'on appelle maintenant les provinces des Prairies. George Sterling Ryerson, qui faisait partie de cette force, a utilisé une croix rouge improvisée pour montrer que son ambulance, tirée par des chevaux, était un refuge sûr pour les blessés de la bataille. En 1896, il a fondé la Société canadienne de la Croix-Rouge qui, depuis, aide des gens partout dans le monde.

Aujourd'hui, au Canada, pas moins de 27 % des adultes font du bénévolat, ce qui représente une baisse comparativement à 1997, alors que ce pourcentage se situait à 31 %. Parmi ces bénévoles, 54 % sont des femmes. En 2000, les Canadiens ont consacré l'équivalent de 549 000 emplois à temps plein à des activités bénévoles, mais l'effort consenti n'était pas réparti équitablement. « Si vous souhaitez qu'un travail soit effectué, cherchez quelqu'un qui est occupé pour le faire » [traduction], dit ce vieil adage, qui s'applique particulièrement bien au secteur bénévole. Ainsi, le quart des bénévoles les plus actifs ont contribué à presque 75 % du temps de bénévolat. Les aînés jouent le rôle le plus important : leur contribution équivaut en moyenne à environ 269 heures par année, soit plus du double des heures fournies par les jeunes adultes de 15 à 24 ans.

« Le temps, c'est de l'argent » est un autre adage qui semble également correspondre au profil du secteur bénévole. En 2000, quelque 91 % des Canadiens adultes ont fait don d'argent ou de biens à des organismes de bienfaisance et sans but lucratif. Toutefois, c'est une proportion tout de même assez faible de personnes qui ont donné le plus. En fait, moins de 10 % de tous les donateurs ont versé 46 % de tous les dons en espèces, estimés à plus de 5 milliards de dollars. Les dons moyens les plus élevés provenaient des titulaires d'un diplôme universitaire et des aînés.

Même si le penchant des Canadiens pour les dons en temps et en espèces est relativement prononcé, les tendances récentes montrent que cette aide va en diminuant. En effet,

« [...] petite aide

fait grand bien... »

Germaine Guèvremont
Marie-Didace, 1947

entre 1997 et 2000, malgré une augmentation de la population générale, le nombre de donateurs, de bénévoles et d'heures fournies a chuté. Seule la valeur totale des dons en espèces a augmenté.

Une grande partie de la générosité des Canadiens va aux organismes et aux groupes religieux. En 2000, ceux-ci ont reçu presque la moitié des dons en espèces et ont bénéficié du cinquième du temps consacré au bénévolat.

Les dons et le bénévolat varient grandement selon les parties du Canada. Nul doute que ces variations sont le reflet de la diversité des situations économiques, des valeurs sociales, des conventions culturelles et du milieu social. Les habitants des Prairies et de l'Atlantique étaient plus susceptibles d'appuyer les organismes de bienfaisance, alors que ceux du Manitoba et de l'Alberta avaient versé les dons les plus importants. Les taux de bénévolat étaient les plus élevés dans les Prairies et à l'Île-du-Prince-Édouard, mais la participation horaire moyenne aux activités de bénévolat était généralement la plus forte dans les provinces de l'Atlantique.

J'aime la marche.

Lorsque je voyage au Canada, je me promène dans les villes et les musées. J'y fais le plein d'images. Eaton à Winnipeg. L'hôtel du Canadien Pacifique à Vancouver. La venue d'une longue limousine blanche à Toronto. Les roches dans l'eau, près du parc Stanley... tout m'enchante chaque fois.

Je me nourris de ces images, car elles font naître en moi des sentiments intenses que je transpose dans ma poésie et dans mes romans.

D'une certaine façon, je suis une exploratrice, et le Canada est l'un des pays que j'aime explorer.

Nicole Brossard, écrivaine

Kingsmere.
Photo de
J. David Andrews,
Masterfile.

LA SOCIÉTÉ

En 1864, George Brown, l'un des Pères de la Confédération et délégué occupant une position essentielle lors de la Conférence de Charlottetown, à l'Île-du-Prince-Édouard, écrivait à son épouse : « Le vendredi, à la conférence, le Canada a ouvert le débat. John A. et Cartier ont exposé les arguments généraux en faveur de la Confédération. Cela a duré jusqu'à l'heure de l'ajournement, c'est-à-dire 15 h. À 16 h, M. Pope servait un grand *déjeuner à la fourchette*. » [traduction] Il semble que le dîner mondain ait contribué à détendre les délégués.

Le sentiment de victoire de George Brown parvient jusqu'à nous 138 ans plus tard : « Cartier et moi avons prononcé des discours convaincants, bien entendu, et je ne sais si cela a été le résultat de notre éloquence ou de la qualité de notre champagne, mais la glace s'est rompue complètement, les délégués se sont délié la langue et les "bans de mariage" entre toutes les colonies de l'Amérique du Nord britannique ont été affichés. […] l'union a donc été officiellement conclue et proclamée! » [traduction]

Trois ans plus tard, en 1867, on célébrait le « mariage », et le nouveau Dominion du Canada en a été l'héritier. Il s'agissait d'une confédération officielle de trois colonies — le Nouveau-Brunswick, la Nouvelle-Écosse et le Canada (l'union du Haut-Canada et du Bas-Canada) — dotée d'un parlement composé de la souveraine (représentée par le gouverneur général), d'un sénat dont les membres étaient nommés et d'une chambre des communes dont les membres étaient élus. Les colonies forment désormais quatre provinces — l'Ontario, le Québec, le Nouveau-Brunswick et la Nouvelle-Écosse —, chacune ayant son propre lieutenant-gouverneur et son assemblée législative.

Mais au-delà de ces événements historiques, le nouveau Canada a tenu la promesse d'une nation qui, un jour, s'étendrait *A Mari usque ad Mare* — D'un océan à l'autre. Bien que plusieurs colonies aient choisi de ne pas se joindre à la Confédération à ce moment-là, les délégués de Charlottetown auraient été comblés d'entendre les paroles de Joey Smallwood quelque 80 ans plus tard. En sa qualité de premier ministre de Terre-Neuve, la dernière province à se joindre à la Confédération, M. Smallwood reconnaissait ceci : « la seule chose qui cloche concernant la Confédération, c'est de ne pas y avoir adhéré en 1867 » [traduction]. Aujourd'hui, le Canada est formé de dix provinces et de trois territoires et son littoral s'étend sur les rives de trois océans.

Pour les Pères de la Confédération, le pouvoir devait être équilibré et réparti entre le gouvernement fédéral et les provinces. Puisque les fondateurs étaient témoins de la guerre civile qui déchirait les États-Unis au cours des années 1860, ils ont décidé d'attribuer l'ensemble des questions nationales au gouvernement fédéral et de confier aux provinces les questions d'ordre plus local comme la santé et l'éducation. D'autres dossiers, par exemple ceux de l'immigration et de l'agriculture, devaient être partagés entre les deux ordres de gouvernement. Ce système complexe et unique au Canada a souvent été cité comme un symbole de notre capacité extraordinaire de faire des compromis.

Lorsque les délégués assistant à la Conférence de Charlottetown ont débattu des grands objectifs des lois que leur nouveau Parlement allait adopter, ils ne se sont pas lancés dans des déclarations sur la liberté, l'égalité et la fraternité ou sur la vie, la liberté et la recherche du bonheur. Ils ont plutôt opté pour « la paix, l'ordre et un bon gouvernement ».

Aujourd'hui, leurs décisions les ont amenés à ériger un système qui sert bien le Canada, quoique parfois on puisse avoir l'impression que les débats nationaux portent plutôt sur des questions liées aux secteurs de compétence. Comme l'a un jour fait ironiquement observer le journaliste Michael Valpy : « Le Canada est le seul pays au monde où l'on peut acheter dans un aéroport un livre sur les relations fédérales-provinciales. » [traduction]

À l'aube du XXIe siècle, quelque 2,8 millions de personnes — environ 17 % de la population active du Canada — assurent la gestion des administrations publiques aux échelons fédéral, provincial, territorial et municipal ainsi que celle des secteurs de l'éducation, de la santé et de la justice. En 2001, ces administrations ont dépensé plus de 417 milliards de dollars pour offrir aux Canadiens une gamme de services allant de l'enlèvement des ordures ménagères à la délivrance des passeports.

La loi

« La raison d'être de la loi est de transformer la passion en raison » [traduction], écrivait l'avocat et poète F. R. Scott. Il s'avère que Pierre Elliott Trudeau a fait sa maxime personnelle de « la raison avant la passion ». Toutefois, comme nation, sommes-nous vraiment moins passionnés et plus raisonnés? Les statistiques sont peut-être utiles, mais elles ne sont pas nécessairement concluantes.

« Comment peut-on vivre en paix si les hommes ne se comprennent pas? Et comment peuvent-ils se comprendre s'ils ne se connaissent pas? » [traduction]

Lester B. Pearson
Prix Nobel de la paix, 1957

Pierre Elliott Trudeau,
1919-2000.
Photo de
Jean-Marc Carisse.

En 2000, le nombre global de crimes signalés au Canada a diminué pour la neuvième année consécutive, atteignant son plus bas niveau depuis 1978. On a signalé huit crimes pour chaque tranche de 100 Canadiens en 2000, alors qu'en 1991, on en avait rapporté dix.

De nombreux facteurs peuvent influencer les statistiques sur la criminalité : des modifications apportées à la loi ou à son application, ou des changements dans la bonne volonté des victimes de signaler les crimes. Une chose est sûre cependant : notre population vieillit et les personnes âgées sont tout simplement moins susceptibles de commettre des crimes. Nul doute que, pour des raisons semblables, les taux d'homicide ont également fléchi dans de nombreux autres pays où la population vieillit, comme aux États-Unis, en France, en Italie et en Allemagne.

Alors que le taux de criminalité global est établi en tenant compte de tous les crimes, qu'il s'agisse d'homicides, d'agressions ou de vols, le taux de crimes avec violence regroupe les homicides, les tentatives de meurtre, les agressions et les enlèvements. Ce taux a légèrement augmenté récemment en raison d'une hausse du nombre d'agressions. Néanmoins, les crimes avec violence représentaient 13 % des 2,6 millions d'accusations portées en vertu du *Code criminel* du Canada en 2000. En 1966, ils représentaient 10 % des 700 000 crimes commis au Canada.

Depuis les 20 dernières années, les taux de crimes avec violence enregistrés au Canada ont toujours été plus bas qu'aux États-Unis. Notre taux d'homicide — le plus grave des crimes —, qui s'établissait à moins de 2 pour 100 000 habitants en 2000 et qui constituait le taux le plus faible depuis 1967, n'équivalait qu'au tiers de celui des États-Unis.

Malheureusement, le meurtre est souvent un crime commis près de chez soi : plus de la moitié des victimes sont tuées dans leur propre maison par une personne qu'elles connaissaient. Les plus vulnérables à cet égard sont les bébés de moins d'un an. Des 20 bébés tués en 2000, neuf sont morts après avoir été secoués par un parent ou un fournisseur de soins.

Aux États-Unis, deux homicides sur trois sont perpétrés à l'aide d'une arme à feu. Au Canada, celle-ci n'est utilisée que dans un homicide sur trois. Le nombre d'homicides attribuables à des bandes a plus que triplé depuis 1995, une victime sur huit entrant maintenant dans cette catégorie.

En 1999, quelque 5 % des Canadiens ont été victimes de crimes avec violence. Il semble plus probable que la proportion de victimes d'un tel crime augmente de façon notable chez les jeunes hommes touchant un faible revenu, que ceux-ci soient célibataires, séparés ou divorcés. Contrairement à ce que certaines personnes peuvent croire, le fait de vivre dans une grande ville n'augmente pas le risque d'être victime d'un crime avec violence. Ainsi, les taux d'homicide enregistrés dans les grandes villes sont très semblables à ceux déclarés dans les petites villes, les villages et les régions rurales.

Les crimes contre les biens, tels que la fraude ou l'effraction, sont également à la baisse depuis 1991. De plus, depuis 1981, le nombre de personnes accusées de conduite avec facultés affaiblies a diminué de 57 %.

La plupart des Canadiens sont d'avis que nos services de police font du bon travail, mais nous sommes proportionnellement moins nombreux à accorder un tel appui aux tribunaux criminels, au système carcéral et au régime de libération conditionnelle. Les résultats d'une enquête peuvent parfois sembler ambigus — alors que la plupart des Canadiens estiment être satisfaits, en général, par rapport à leur sécurité personnelle, 30 % se sentent encore inquiets. Ce groupe estime que la criminalité augmente.

En 2000, sur les 220 600 adultes soupçonnés d'avoir commis un crime et gardés en détention préventive, presque 89 000 ont finalement été incarcérés dans des établissements fédéraux, provinciaux ou territoriaux, et 73 000 autres ont été mis en probation. Le nombre d'Autochtones condamnés à la détention continue toutefois d'être disproportionné par rapport à la population générale. En effet, bien que les Autochtones ne formaient que 2 % de la population adulte du Canada, ils représentaient au moins 17 % des 89 000 adultes détenus dans des établissements fédéraux, provinciaux et territoriaux.

La balance de la justice

Dans le système de justice canadien, on retrouve deux systèmes juridiques, héritage de notre patrimoine anglais et français. Le premier, la common law — pratiqué dans toutes les provinces sauf au Québec —, s'appuie sur des principes qui datent de l'Angleterre médiévale et repose sur les précédents établis au moyen des décisions judiciaires. Le deuxième, le droit civil du Québec, remonte à encore plus loin, c'est-à-dire à la consolidation du droit romain par l'empereur Justinien. En droit civil, le code écrit, ou *Code civil*, est plus utilisé que les précédents pour aider les juges à prendre leurs décisions.

Au Canada, chaque province est chargée d'établir ses propres tribunaux, lesquels sont saisis des affaires présentées en vertu des lois fédérales et provinciales.

Bien que les juges des tribunaux provinciaux soient nommés par les autorités provinciales, c'est au gouvernement fédéral que revient la tâche de nommer les juges des cours supérieures, qui président les plus hauts tribunaux des provinces et des territoires. Non seulement les cours supérieures entendent-elles des causes plus graves que celles des tribunaux provinciaux, mais elles sont aussi investies du pouvoir de passer en revue les décisions des juridictions inférieures.

La Cour suprême du Canada constitue la juridiction d'appel finale au pays. En reconnaissance du système issu du droit romain en vigueur au Québec, trois des neuf juges doivent être originaires de cette province. À la suite de l'adoption de la *Charte canadienne des droits et libertés*, qui est devenue partie intégrante de notre Constitution en 1982, un nombre beaucoup plus élevé de causes sont portées devant la Cour suprême. Entre 1990 et 2000, le nombre de causes dont elle a été saisie a augmenté de 36 %, ce qui représente 659 causes.

En 2000, quelque 23 % de tous les appels entendus par la Cour suprême ont été déposés en vertu de la *Charte canadienne des droits et libertés*. En fait, le nombre de causes fondées sur la *Charte* a continué d'augmenter dans tous les tribunaux puisque, dans le cadre de la *Loi constitutionnelle de 1982*, la protection des droits de la personne constitue l'un des éléments fondamentaux de la *Charte*. Contrairement aux lois précédentes en la matière — il s'agissait alors d'actes législatifs — la *Charte* ne peut être abrogée.

Les administrations fédérales, provinciales et municipales du Canada ont injecté 32,6 milliards de dollars dans le système juridique en 2000-2001. Cette somme équivaut à environ 1 086 $ pour chaque homme, femme et enfant du pays. La principale dépense,

« La justice marche comme une bicyclette : seulement d'avant; essaye pas de l'embrayer à reculons, tu te casses la margoulette. »

Laurent Dubé
29, rue Couillard, 1992

75

atteignant en moyenne presque 221 $ par Canadien, ou environ 21 % du total va au maintien de l'ordre.

L'éducation

« J'ai toujours cru, écrivait le philosophe littéraire Northrop Frye, que l'université est très près du cœur de la collectivité humaine et que le sort de notre société y est étroitement lié. » [traduction] Pour sa part, l'universitaire et journaliste Arnold Edinborough a un jour dit dans une classe de finissants : « L'université devrait vous remettre une chose au moins : une liste de livres à lire pour le reste de votre vie. » [traduction]

L'éducation est l'une des pierres angulaires des préoccupations canadiennes. En 1998, le Canada se classait parmi les chefs de files des pays du G7 en ce qui concerne l'investissement au chapitre de l'éducation, en proportion du produit intérieur brut (PIB).

Toutefois, le financement ne représente qu'un des aspects du dossier de l'éducation au Canada. Les styles d'enseignement y deviennent populaires un jour, puis démodés le lendemain. Au début de la colonie, la plupart des élèves fréquentaient ce qu'on appelait les « petites écoles rouges ». Le programme d'études mettait en vedette la lecture, l'écriture et l'arithmétique, matières agrémentées de notions de géographie et de sciences. D'habitude, un seul enseignant dirigeait la classe, et il n'était pas rare qu'il utilise une lanière de cuir pour s'assurer que les règles étaient suivies.

Mais au cours des années 1950, 1960 et 1970, les petites écoles ont disparu. Pour les remplacer, on a construit de grandes écoles dans les centres urbains, avec de nombreuses classes, des laboratoires et des gymnases pouvant accueillir des centaines d'élèves.

Les méthodes d'enseignement sont également en évolution. Les élèves peuvent maintenant s'asseoir devant leur écran d'ordinateur et faire de la recherche sur divers sujets. De plus en plus, le cliquetis du clavier s'ajoute aux traits de crayon sur les cahiers d'exercices. Aujourd'hui, les élèves des régions les plus éloignées du Canada ont la possibilité de suivre des cours en ligne. Dans cet environnement polyvalent, l'évaluation prend beaucoup

Jeunes filles qui dansent.
Photo de Glen Jones,
Images International.

d'importance, c'est pourquoi les tests standardisés deviennent plus courants. Parallèlement, les éducateurs doivent relever les défis actuels liés à la démographie : plusieurs commissions scolaires ont moins de ressources à leur disposition et de plus en plus d'enseignants chevronnés se préparent à prendre leur retraite au cours des prochaines années.

Malgré ces difficultés, le Canada occupe un rang élevé en ce qui concerne les réalisations dans le domaine de l'éducation. En 1996, plus de 48 % des Canadiens de 25 à 64 ans ont poursuivi des études postsecondaires partielles, alors que la moyenne des pays de l'Organisation de coopération et de développement économiques (OCDE) se situait à 23 %. Collectivement, les Canadiens ont dépensé environ 66,3 milliards de dollars au chapitre de l'éducation en 2000-2001. Au moins 60 % de cette somme est allée aux écoles primaires et secondaires, et le reste aux collèges et aux universités.

En 2000, environ un million de Canadiens étaient inscrits à l'une des 100 universités canadiennes ou à l'un des 200 collèges communautaires et écoles techniques du pays, et à peu près le tiers d'entre eux étudiaient à temps partiel.

Auparavant, les femmes étaient moins susceptibles que les hommes de poursuivre des études universitaires, mais tel n'est plus le cas de nos jours. En effet, elles représentent aujourd'hui environ 55 % de l'effectif étudiant, une hausse notable par rapport au 37 % enregistré au milieu des années 1970, mais une augmentation incroyable par rapport aux 50 premières années du XXe siècle. En fait, depuis plus de 20 ans, les femmes représentent la majorité des étudiants inscrits dans les collèges communautaires du Canada.

Au cours des dix dernières années, les droits de scolarité ont plus que doublé pour l'étudiant moyen de premier cycle, passant de 1 500 $ au début des années 1990 à 3 380 $ en 2000-2001. Les jeunes issus de familles à faible revenu sont donc moins susceptibles de fréquenter un collège ou une université que ceux provenant de familles dont le revenu est plus élevé.

Notre système d'éducation semble profiter à nos élèves. En effet, en 2000, à l'occasion d'un important test international, les Canadiens de 15 ans se sont classés parmi les meilleurs du monde en lecture, en sciences et en mathématiques. Sur les 32 pays participants, seuls les élèves de la Finlande ont obtenu de meilleurs résultats que les Canadiens en lecture. Au Canada, les élèves de l'Alberta étaient en avance sur ceux des autres provinces, surtout en lecture. Les élèves canadiens ont aussi affiché de bons résultats en sciences et en mathématiques, obtenant les cinquième et sixième rangs respectivement. En outre, le Canada s'est classé sixième en proportion du PIB consacré à l'enseignement primaire et secondaire, comparativement aux autres pays membres de l'OCDE.

Les jeunes Canadiens sont maintenant plus susceptibles de rester à l'école. Notre taux d'abandon scolaire est à la baisse, et beaucoup plus de jeunes canadiens s'inscrivent à l'université. En fait, la population active du Canada est l'une des plus scolarisées des pays de l'OCDE, pas moins de 50 % des travailleurs canadiens étant titulaires d'un grade, d'un diplôme ou d'un certificat.

Quelque 26 % des adultes canadiens ne peuvent accomplir que des tâches simples en lecture et en écriture. Environ 40 % des personnes âgées n'ont pas terminé leurs études primaires, et 1,6 million d'entre elles possèdent des capacités médiocres en littératie.

La scolarité n'est pas le seul indicateur du niveau de littératie d'une personne. En fait, environ 20 % des Canadiens ont un niveau de littératie moins élevé et 16 % en ont un plus élevé que ne le laisserait croire leur niveau de scolarité.

« Santé et bonté

vont côte à côte. »

Andrée Maillet
Profil de l'orignal, 1952

La santé

« Si j'avais été le fils d'un homme riche, disait Tommy Douglas en parlant d'un problème médical sérieux qu'il a éprouvé durant son enfance, j'aurais reçu les soins des plus éminents chirurgiens. En tant que fils de forgeron, on m'a presque amputé la jambe avant qu'un spécialiste n'intervienne et me traite sans exiger d'honoraires. Toute ma vie adulte, j'ai rêvé du jour où nous aurions au Canada un programme complet de soins médicaux gratuits, permettant d'éviter qu'une telle expérience se reproduise. » [traduction]

En 1947, sous la conduite de Tommy Douglas, la Saskatchewan a été la première province à créer un régime universel d'assurance-hospitalisation. Les autres provinces et les territoires l'ont imité les années suivantes, jusqu'à ce que les services médicaux du pays, tant à l'intérieur qu'à l'extérieur des hôpitaux, soient garantis par l'État.

Les Canadiens sont engagés dans un intense et constant débat sur la façon de maintenir le régime de soins de santé du Canada. Jusqu'ici, l'idée d'un système universel de soins médicaux gratuits a été l'un des éléments charnières de la politique sociale nationale.

Tante Ilfra, 1997.
Œuvre de
Rosalie Favell,
Centre de l'art indien,
Affaires indiennes
et du Nord Canada.

Mais les défis auxquels la nation fait face ont changé, contribuant à remettre en question cette valeur fondamentale. On attribue cette situation à l'insatisfaction des gens et à des raisons d'ordre financier et géographique. La population vieillit et bon nombre des nouvelles technologies médicales sont énormément coûteuses. Les petites agglomérations du Grand Nord sont éloignées des hôpitaux des grandes villes. Certains estiment que le secteur privé devrait fournir davantage de services de santé, d'autres plaident en faveur du ticket modérateur, et de nombreux Canadiens tiennent fermement à un régime de soins de santé universel et payé par l'État.

Comme cela était à prévoir, les soins de santé se sont transformés du tout au tout. Nos séjours à l'hôpital sont plus courts. En 1998, il y avait presque trois fois plus de services de consultations externes qu'en 1985, et le nombre de lits d'hôpital a diminué de 25 % pendant la même période.

Le nombre de cas en salles d'urgence est à la hausse, les périodes d'attente sont plus longues et les cliniques sont plus nombreuses. Depuis le début des années 1990, l'augmentation du financement des soins de santé par le secteur privé, par le truchement de régimes d'assurance complémentaire et de dépenses personnelles en soins de santé, a été à peu près aussi rapide que l'augmentation des dépenses du secteur public. Aujourd'hui, environ 72 % des services de soins de santé sont financés par le secteur public.

Néanmoins, le Canada est l'un des pays qui investit le plus dans les soins de santé. En 1998, par exemple, il se classait troisième parmi les pays du G7 au chapitre des dépenses par personne, derrière les États-Unis et l'Allemagne. En 2000, le Canada consacrait 95 milliards de dollars — environ 3 000 $ pour chaque homme, femme et enfant — aux soins de santé. Dans l'ensemble, les administrations publiques canadiennes dépensent environ deux fois plus pour la santé que pour la justice.

Les menaces à notre santé

Les trois principaux ennemis menaçant notre bien-être, qui constituent également les principales causes de décès au Canada, sont les maladies du système circulatoire, le cancer et les maladies respiratoires. Les décès attribuables au cancer du poumon sont 80 % plus

Alors, on éteint? Un porte-cigarettes en argent s'ouvre avec un bruit sec. À l'intérieur, des cigarettes sont rangées avec minutie. Le protagoniste en retire une de l'étui et la tape doucement sur le bord d'une table. Un flamme jaillit d'un briquet. La caméra fait un travelling arrière. L'acteur tire une profonde bouffée et le réalisateur crie : « Coupez! C'est dans la boîte! »

Ces scènes transmettaient autrefois un puissant message au public des cinémas : fumer la cigarette est prestigieux, voire nécessaire. Aujourd'hui, toutefois, le scénario semble avoir changé. Si quelqu'un grille une cigarette dans un film, c'est l'indice qu'il est angoissé ou qu'il y a de l'orage dans l'air.

La raison en est très simple. Au Canada, l'habitude de fumer la cigarette est la cause de 90 % des nouveaux cas de cancer du poumon chez les hommes et de 80 % de ceux-ci chez les femmes. En 2001, près de 16 000 hommes et femmes sont morts d'un cancer du poumon causé par cette habitude, soit plus que toute la population de Camrose en Alberta, de Bracebridge en Ontario ou de Bathurst au Nouveau-Brunswick.

Il est cependant rassurant de constater que les taux de tabagisme au Canada ont atteint leurs plus bas niveaux en 36 ans. Par exemple, en 1965, année où la première étude sur l'usage du tabac a été réalisée, pas moins de 50 % des Canadiens fumaient. Ce pourcentage s'établit aujourd'hui à 23 %.

Cher Jared, 1979.
Œuvre de
Barbara Astman,
The Robert
McLaughlin Gallery.

nombreux chez les hommes que chez les femmes, et les taux de tabagisme diminuent chez les femmes mais pas d'une façon aussi marquée que chez les hommes.

Les Canadiens continuent de chercher des techniques de soins différentes de la médecine occidentale traditionnelle. En 1998-1999, quelque 17 % des Canadiens adultes ont consulté des praticiens de médecine non traditionnelle, notamment des chiropraticiens, des massothérapeutes, des acupuncteurs, des homéopathes et des naturopathes.

En général, il est difficile de comparer la santé des Autochtones et des Inuits à la santé des autres Canadiens. En 1996, leur taux de mortalité était environ 1,5 fois plus élevé que le taux national, à l'exception de l'Alberta et du Québec, et ils étaient jusqu'à 6,5 fois plus susceptibles de mourir de blessures et d'intoxication que les autres Canadiens. Bien que l'espérance de vie des Autochtones ait augmenté à 69 ans pour les hommes et à 76 ans pour les femmes en 1995, ces chiffres demeurent inquiétants lorsqu'on les compare à ceux des autres Canadiens, qui se situent à 75 ans et à 81 ans respectivement.

La gestion des affaires publiques

Le Canada est une monarchie depuis les débuts de la Nouvelle-France. Les Pères de la Confédération ont été très clairs à ce sujet : ils souhaitaient que le pouvoir exécutif de la nouvelle nation soit exercé au nom de la souveraine, la reine du Canada et le chef de l'État. Depuis, toutes les mesures gouvernementales ont été prises par la Couronne.

En 2002, la reine Elizabeth II a célébré le cinquantième anniversaire de son accession au trône. Par ailleurs, en 1952, Vincent Massey était le premier Canadien à être désigné gouverneur général. Nombre de nos 26 gouverneurs généraux depuis la Confédération ont mené d'éminentes carrières comme militaires, politiciens ou hommes de lettres. Citons par exemple John Buchan, lord Tweedsmuir, qui, de 1935 à 1940 alors qu'il remplissait sa fonction, a écrit des œuvres de fiction populaires ainsi que ses mémoires et qui a créé, en 1936, les Prix littéraires du Gouverneur général.

Même si le gouverneur général conserve certains pouvoirs en tant que remplaçant officiel de la souveraine — nomination et destitution des premiers ministres, octroi de

Carnaval de Montréal,
1885.
Musée de la civilisation,
Québec.

réhabilitations, convocation et dissolution du Parlement, par exemple —, il doit habituellement agir selon l'avis de ses ministres et limiter à des généralités ses commentaires sur la politique publique.

La plus importante charge au pays, celle de premier ministre, n'était même pas mentionnée dans la *Loi constitutionnelle de 1867*, nom actuel de l'*Acte de l'Amérique du Nord britannique*. Le premier ministre, qui dirige normalement le parti politique comptant le plus grand nombre de députés à la Chambre des communes, n'est pas tenu d'être lui-même député. Sir John Abbott, le premier des premiers ministres nés au Canada (1891-1892) était sénateur, tout comme Sir Mackenzie Bowell (1894-1896).

Le premier ministre gouverne avec l'aide des ministres du Cabinet, qui sont responsables des ministères fédéraux. Les fonctionnaires conseillent les ministres et s'acquittent de l'administration courante des affaires publiques. Aux États-Unis, les autorités exécutives et législatives du gouvernement sont passablement distinctes, alors que dans le régime parlementaire canadien, ils sont regroupés. L'indépendance du pouvoir judiciaire est toutefois farouchement préservée.

La plupart des projets de lois peuvent être déposés à la Chambre des communes ou au Sénat. Mais avant d'obtenir le statut de loi — une loi du Parlement —, le projet doit être adopté par les deux chambres du Parlement et recevoir la sanction royale du gouverneur général ou d'un délégataire ou, dans des occasions protocolaires spéciales, de la souveraine.

Les provinces sont dotées de mécanismes semblables pour adopter des lois, sauf qu'elles n'ont pas l'équivalent du Sénat. Tout comme à l'échelle fédérale, le chef du gouvernement est le premier ministre. Dans les provinces, la sanction royale est donnée par le lieutenant-gouverneur.

À l'ordre du jour

Pour chaque nouvelle session du Parlement, le gouvernement expose son ordre du jour dans le discours du Trône, lu par le gouverneur général ou, dans des occasions spéciales, par la Reine.

La future reine, Lady Elizabeth Bowes-Lyon, à l'âge de 4 ans, en compagnie de son frère David. Photo ILN/Camera Press/PonoPresse.

La Reine-Mère, 1900-2002. Photo d'Anthony Buckley, Camera Press/PonoPresse.

Dans le discours d'ouverture de la 37ᵉ législature, le 30 janvier 2001, le programme du Gouvernement portait sur l'innovation. Le Gouvernement prenait l'engagement de faire du Canada, d'ici 2010, l'un des cinq pays les plus en vue dans le domaine de la recherche et du développement; d'aider un million d'adultes à profiter des occasions d'apprentissage de façon à ce qu'ils acquièrent des compétences et des connaissances nouvelles. Il prévoyait aussi mettre à jour ses lois sur la protection des renseignements personnels et sur le droit d'auteur; travailler de concert avec les administrations provinciales pour améliorer les lois sur le soutien des enfants; augmenter le financement des Instituts de recherche en santé du Canada et le budget des Forces canadiennes; fournir de meilleurs outils d'application de la loi pour combattre la cybercriminalité et le terrorisme.

Étant donné que les membres de la génération du baby-boom avancent vers l'âge de la retraite, on prévoit que 75 % des cadres supérieurs de la fonction publique d'aujourd'hui auront présidé leur dernière réunion d'ici 2011. Il n'est donc pas étonnant que le recrutement de personnes qualifiées dans la fonction publique soit une préoccupation constante pour l'administration. En 1998, le nombre de fonctionnaires fédéraux a augmenté pour la première fois en quatre ans et, en 2001, les services gouvernementaux formaient le seul secteur où la demande et les emplois étaient à la hausse.

On s'inquiète aussi du fait qu'un nombre moins élevé de Canadiens exercent leur droit de vote. Entre 1940 et 1980, la participation aux élections générales fédérales oscillait entre 73 % et 78 %. En 1997, le personnel électoral a observé une baisse à ce chapitre, alors que 67 % des électeurs inscrits se sont rendus voter. La tendance s'est maintenue en novembre 2000 : seulement 61 % des électeurs ont choisi d'exercer leur droit.

Même si nous sommes plus scolarisés et que nous avons un accès instantané à plus d'information, il est ironique de constater que notre attachement aux partis politiques traditionnels s'est affaibli au cours de la dernière décennie — il est donc moins probable que nous allions voter. En 2001, presque le tiers des électeurs estimaient qu'il n'y avait aucun dossier important dans la campagne électorale, ce qui peut en avoir incité certains à ne pas voter. Aux élections générales de 1988, dont le thème principal portait sur le libre-échange, plus de 75 % des Canadiens admissibles ont exercé leur droit de vote, ce qui ajoute du poids au fait que la participation s'affaiblit en l'absence de dossiers importants.

North Rustico,
Île-du-Prince-Édouard.
Photo de John Sylvester.

Avoir l'air et la chanson… En 1927, la juge Emily Murphy écrivait : « Le Canada n'est ni une carte ni un gouvernement… Non! Le Canada, c'est une mélodie, un air qu'on doit chanter en chœur… » [traduction] L'auteure et juge — une pionnière — s'est beaucoup occupée du dossier sur l'émancipation des Canadiennes. En effet, avant 1929, les femmes n'avaient pas le statut de « personne », selon la définition de la common law d'Angleterre de 1876.

Leur compétence en tant que juge, à tout le moins en Alberta, a été reconnue dès 1916 grâce à la nomination d'Emily Murphy, la première magistrate de l'Empire britannique. Ce geste historique n'a toutefois pas eu l'heur de plaire aux avocats plaidants de sexe masculin, car ceux-ci refusaient de comparaître devant une femme juge parce que, après tout, les femmes n'étaient pas des « personnes », au sens juridique du terme.

Inébranlable, la juge Murphy s'assura le concours de quatre militantes albertaines : Louise McKinney, Nellie McClung, Irene Parlby et Henrietta Muir Edwards. Les « Célèbres cinq » sont à l'origine de l'affaire « personne » qui allait changer la loi.

Le 18 octobre 1929, le Comité judiciaire du Conseil privé de la Chambre des lords d'Angleterre, le plus haut tribunal du Canada à l'époque, statua à l'unanimité que les femmes étaient effectivement des « personnes » et qu'elles pouvaient être nommées au Sénat.

Louise McKinney

NA-825-1

Nellie McClung

NA-273-2

Emily Murphy

NA-273-3

Irene Parlby

NA-273-1

Henrietta Muir Edwards

NA-2607-1

Les « *Célèbres cinq* ».

Glenbow Archives,

Calgary, Alberta.

Parc national Yoho,
Colombie-Britannique.
Photo
d'Hélène Anne Fortin.

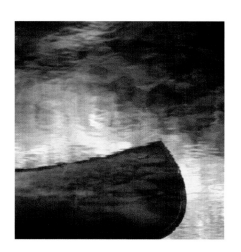

J'ai grandi à Middle Cove, en banlieue de St. John's.

L'humour prenait beaucoup de place dans notre famille et

il était tout aussi important aux yeux des Terre-Neuviens.

Vous n'allez pas loin ici si vous ne savez pas faire rire

les gens.

J'ai grandi en regardant le Wonderful Grand Band,

une comédie produite à St. John's. C'était merveilleux —

les Terre-Neuviens se moquaient de leur province. Cela

m'a permis d'acquérir l'assurance nécessaire pour devenir

comédien.

Je savais que ce que nous avions ici était tout aussi bon,

sinon meilleur, que n'importe quoi venant du « continent ».

Rick Mercer, comédien

Chan Hon Goh.
Photo de J. Ciancio,
Ballet national
du Canada.

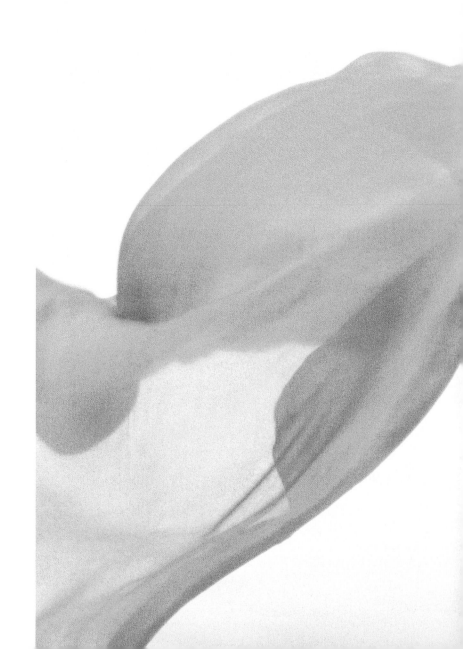

ARTS ET LOISIRS

En 1982, à Baie-Saint-Paul, une petite ville du Québec où se déroule l'un des nombreux festivals artistiques, une troupe de jeunes saltimbanques — le Club des talons hauts — déambulaient parmi la foule juchés sur des échasses, jonglant, crachant du feu, au grand ravissement des spectateurs. Leur succès les a inspirés! Et, ils ont organisé la Fête foraine de Baie-Saint-Paul. Vingt ans plus tard, le *Cirque du Soleil* divertit quelque sept millions de personnes chaque année par l'entremise de ses huit spectacles.

Quelques décennies plus tôt, dans les années 1940 et 1950, le modernisme, le surréalisme et l'*automatisme* dans les arts visuels suscitaient une controverse générale au Québec. En effet, en 1948, l'artiste Paul-Émile Borduas ainsi que d'autres artistes rédigeaient le *Refus global,* un manifeste qui rejetait non seulement les concepts artistiques traditionnels, mais aussi les autorités religieuses et politiques de l'époque.

À un autre moment, alors que Zacharias Kunuk avait peut-être quatre ou cinq ans et qu'il vivait dans une hutte de terre d'une seule pièce dans le Grand Nord, il se souvient que ses parents lui racontaient l'histoire d'*Atanarjuat* — « l'homme rapide ». Cette histoire constitue maintenant la trame du premier film du Nunavut — et du monde — dont le scénario est entièrement écrit en inuktitut, et le premier film du monde produit par les Inuits.

Pour sa part, la critique canadienne Elizabeth Waterston croit que : « une nation ne s'articule pas seulement autour d'un projet de vie commun. Une nation se définit aussi à la manière d'une création artistique, d'une réflexion, d'une inspiration, d'une stimulation et d'un but à atteindre. Les artistes nous dépeignent à leur façon. Ils nous permettent d'entendre notre propre voix, de savoir qui nous sommes vraiment, de nous moquer de nos sottises, de nous réjouir de nos forces. En acceptant ou en refusant le point de vue des artistes, nous devenons plus profondément nous-mêmes. » [traduction]

Le Canada se distingue maintenant dans plusieurs domaines. Qui peut oublier le fameux « Il lance et compte! » de René Lecavalier, la salutation en soirée d'Allan McFee à ses auditeurs « in vacuum land », les magazines d'actualité élégamment présentés pendant plus de 40 ans par Pierre Nadeau ou le caractère accueillant du défunt Peter Gzowski dans les émissions *This Country in the Morning* et *Morningside?* Nous tombons sous le charme en lisant les Alistair MacLeod, Margaret Atwood et Marie Laberge, qui ont tous gagné récemment des prix internationaux prestigieux. En 2001, MacLeod a reçu l'International IMPAC Dublin Literary Award pour son roman *La perte et le fracas*.

En 2001, les Canadiens Janet Cardiff et George Bures Miller ont remporté la Biennale de Venise pour leur travail multimédia, *The Paradise Institute*. Par ailleurs, le Musée des beaux-arts du Canada a décerné à Janet Cardiff son premier prix international dans le domaine des arts visuels — le Prix du millénaire — pour son œuvre *Forty-Part Motet*.

De la musique de nos compositeurs à la poésie de nos écrivains, des sculptures et des toiles de nos artistes aux mouvements de nos danseurs, des idées originales de nos cinéastes et de la voix de nos communicateurs aux lignes imposantes de nos architectes, le Canada commence à être mieux connu à travers les œuvres de ses artistes.

Pourtant, de nombreux artistes canadiens tirent le diable par la queue. En 1999, le revenu annuel moyen d'une personne travaillant dans le secteur culturel s'élevait à 27 900 $, alors que le revenu national moyen était de 31 800 $. Comme de nombreux artistes travaillent à leur compte — 51 % en 2001, comparativement à 16 % pour l'ensemble de la population active canadienne —, leur situation est encore plus précaire. Avec 17 300 $ par année, ils ne gagnent que 54 % environ du revenu national moyen.

En 2001, 23 600 courageux Canadiens se disaient écrivains et faisaient partie d'une imposante union des artistes, regroupant 265 000 artistes, sculpteurs et écrivains. Dans l'ensemble, cependant, quelque 733 000 Canadiens travaillaient dans le secteur culturel, dont l'incidence globale sur notre économie, mesurée par son apport au produit intérieur brut du Canada, se chiffrait à plus de 33 milliards de dollars.

Au cours de la dernière moitié du XXe siècle, des politiques gouvernementales ont contribué à donner un nouveau souffle à ce secteur, et ce, dès 1951, grâce au rapport de la commission Massey, qui a recommandé la mise sur pied de la Bibliothèque nationale et du Conseil des arts du Canada.

« This is CBC, ici Radio-Canada. » Nous sommes le 6 septembre 1952. Enfin! La « tivi » est arrivée…

Bien que le domaine de la créativité demeure florissant, les subventions gouvernementales pour les arts ont diminué dans les années 1990. Les administrations fédérales, provinciales et municipales ont apporté une contribution de 5,9 milliards de dollars aux activités culturelles en 1999-2000. Il s'agit là sensiblement du même montant que celui qui a été versé en 1992-1993 — année où les dépenses du gouvernement dans le secteur des arts a atteint un sommet. Les dépenses ont toutefois chuté, atteignant un creux de 5,6 milliards de dollars. Ce n'est que ces deux dernières années que les dépenses ont commencé à remonter aux niveaux précédents.

Dans le secteur culturel canadien, en particulier dans le secteur de la réalisation de films et de la production de vidéos, nous avons fait une percée importante ces dix dernières années en exportant notre culture dans le monde. Entre 1996 et 2000, nos exportations culturelles ont augmenté d'environ 44 %, atteignant plus de 4,2 milliards de dollars. Toutefois, nous sommes également l'un des plus grands importateurs de produits culturels du monde. En effet, entre 1996 et 2000, nos importations de produits culturels étrangers ont augmenté d'environ 24 %, atteignant plus de 6,4 milliards de dollars.

La distribution de nos produits culturels, tant au pays qu'à l'étranger, ne se fait pas sans obstacles. En effet, bien qu'elles représentent moins de deux douzaines d'entreprises dans chaque secteur d'activités culturelles, les multinationales ont accaparé 51 % des recettes provenant de la distribution de films, 88 % des ventes de disques, 35 % des ventes de livres canadiens et 53 % des ventes des agences par les marchands et les distributeurs.

Norma Shearer (à gauche) et Mary Pickford, 1920. Photos d'Alfred Cheney Johnston, Archives nationales du Canada, PA 181098, PA 185967.

Le film

Dans le film *Atanarjuat,* le réalisateur Zacharias Kunuk jette un regard sur la vie dans la toundra de l'arctique au XVIe siècle, au Nord de Baffin, et met en scène de grands thèmes — l'amour, la jalousie et la lutte pour le pouvoir — de façon si éloquente que le film a remporté le prestigieux Prix de la caméra d'or décerné au meilleur premier long métrage au Festival de Cannes de 2001. Le film *Atanarjuat* s'est également mérité cinq prix Génies aux Prix annuels du Canada, entre autres ceux du meilleur film, du meilleur réalisateur et du meilleur scénario. Le film québécois *Un crabe dans la tête*, d'André Turpin, s'est quant à lui illustré à la Soirée des Prix Jutra 2002 en récoltant sept trophées.

Le cinéma... c'est une histoire d'amour « Je me souviens du Metropolitan Theatre, à Winnipeg. Il est maintenant fermé — condamné et à l'air bien triste. Il y avait aussi l'Odeon, avec son toit voûté, et l'Uptown, sur la rue Academy. Un plafond noir ayant une multitude de petits trous. On se croyait sous un ciel étoilé... puis, le rideau de velours s'ouvrait, le lion rugissait et le film commençait. » [traduction]

À part nos souvenirs, il ne reste plus grand-chose des anciennes et fascinantes salles de cinéma. La plupart d'entre elles ont fermé leurs portes ou ont été transformées en salles de quilles, en centres communautaires et même en marchés de prêts-à-manger — les salles de cinéma ont une toute autre vocation.

Aujourd'hui, nous sommes plus susceptibles d'aller voir un film au grand complexe cinématographique du centre commercial — auquel se greffent des billards électriques —, décoré de photos grandeur nature d'acteurs flottant dans les airs. Les salles sont elles-mêmes souvent petites et nombreuses, et portent un numéro, de façon à ce que nous nous y retrouvions facilement.

Mis à part l'architecture, le cinéma a officiellement vu le jour en 1896, alors que des résidents d'Ottawa payaient 10 cents chacun pour admirer la dernière invention de Thomas Edison — l'appareil de projection Vitascope. Flairant la bonne affaire, les magasins locaux ont bientôt offert aux spectateurs leur propre invention appelée « nickelodeon », une salle où le prix d'entrée était une pièce de 5 cents (un « nickel » en anglais). Le reste, comme on dit, est entré dans l'histoire. Au cours des années 1930 et 1940, les Canadiens étaient littéralement fous de cinéma. À Edmonton seulement, la fréquentation mensuelle était plusieurs fois plus élevée que la population de la ville.

L'avènement de la télévision, dans les années 1950, a quelque peu refroidi cette ardeur et, de 1952 à 1964, pas moins de 600 salles de cinéma — le tiers de toutes les salles — ont fermé leurs portes. Entre 1980 et 1992, l'arrivée de la vidéo a contribué à une autre diminution de 22 % de la fréquentation des salles.

De nos jours, avec la construction des grands complexes à écrans multiples, il semble que nous soyons revenus à nos amours après quatre décennies d'abandon. De 1991 à 2000, le nombre d'entrées a atteint un sommet sans précédent : 117,8 millions de billets ont été vendus, soit presque quatre fois la population du pays.

Aussi volages que nous puissions l'être, il semble, au Canada, que nous soyons attirés par la « puissance cinématographique ». L'odeur du maïs soufflé et l'espoir de passer deux heures dans une autre réalité font que le cinéma continue d'occuper une place de choix dans le cœur des Canadiens.

La comédie canadienne *Quatre hommes et un balai* rassemble une équipe de curling d'une petite ville pour une dernière partie au tournoi local. Ce film, dont le thème est indubitablement canadien — le club de curling de Montréal a fait ses débuts en 1807 —, présente à ses spectateurs des éléments traditionnels importants au Canada : le castor, les accords qui s'élèvent de notre hymne national, la vie dans une petite ville canadienne et les rigueurs du curling.

Mais le plus impressionnant quant à ces deux films canadiens, c'est leur réussite au guichet. Au cours de la première fin de semaine de projection, la vente des billets de *Quatre hommes et un balai* a rapporté 1,1 million de dollars. Ce film a été à l'affiche dans 207 salles — un nombre record au Canada. Par comparaison, les recettes d'*Atanarjuat* ont dépassé 1 million de dollars durant les premières semaines de projection.

Bien qu'on ne puisse comparer le succès de ces films à celui d'autres superproductions hollywoodiennes, les ventes de billets et la vaste distribution en font une agréable exception par rapport à ce qui se passe d'habitude au Canada. En effet, la plupart des longs métrages canadiens sont distribués dans un nombre restreint de salles de cinéma ou sont peu offerts en vente ou en location. En 1998, environ 68 % du revenu total des distributeurs de films et de vidéos canadiens provenait de la distribution de films étrangers.

Néanmoins, l'industrie de la production et de la distribution de films au Canada a connu un essor depuis au moins 1988. Durant la seule année 1998-1999, les ventes liées à la distribution des films étrangers et des vidéos au Canada, de même que les exportations à l'étranger des productions canadiennes, ont généré des recettes de 2,1 milliards de dollars; c'est 23 % de plus que l'année précédente. De 1988 à 1998, les recettes de l'industrie canadienne du film indépendant, de la production télévisuelle et de la vidéo ont presque doublé, passant de 533 millions dollars à un peu plus d'un milliard de dollars.

La radio et la télévision

Au cours des années 1930, Graham Spry, l'un des fondateurs de la *Canadian Radio League* était découragé; il croyait qu'on ne prendrait jamais au sérieux son projet de station de radio financée par l'État. Lorsqu'il a appris que le premier ministre R. B. Bennett

recevait régulièrement un massage au Château Laurier, Spry s'est arrangé pour le rencontrer et lui faire valoir son projet, tout en marchant à ses côtés jusqu'à la Colline du Parlement.

L'idée de Spry a porté fruit. Vite convaincu de l'utilité d'une chaîne de radiodiffusion parrainée par le gouvernement, le premier ministre Bennett a créé, en 1932, la Commission canadienne de radiodiffusion (CCRD), marquant ainsi le début de l'appui gouvernemental aux arts et à la culture de masse. Quatre ans plus tard, la CCRD est devenue la Société Radio-Canada (SRC), la seule société à avoir des stations publiques et privées.

Aujourd'hui, on décrit la radio de la SRC comme la « voix » du pays, offrant aux Canadiens d'un océan à l'autre un miroir fidèle de leurs vies. En 2000, les Canadiens occupaient pas moins de 10,4 % du temps d'écoute sur les ondes radiophoniques de la SRC. Autrement, nous avions le choix entre les 615 stations de radio privées au pays, notamment 456 stations de musique, 33 stations-causerie et 126 stations non commerciales. Grâce à la qualité sonore supérieure de leurs enregistrements, les stations FM ont rejoint 72 % d'auditeurs à l'automne 2000.

Nos émissions de télévision sont populaires de par le monde. Plus de la moitié des recettes découlant de la programmation télévisuelle canadienne proviennent d'autres pays. En 1997-1998, les recettes d'exportation s'établissaient à 254 millions de dollars, soit quatre fois plus que dix ans auparavant.

L'humour est un pilier de l'auditoire canadien. Chez nous, le concept d'*Un gars, une fille*, cette populaire comédie à sketches mettant en lumière les différences entre les hommes et les femmes dans les relations de couple, s'est vendu dans plusieurs pays et a su charmer un public international. Notre originalité transpire aussi dans nos téléromans. L'émission *La vie, la vie*, encensée par la critique et le public, a su, tant par la qualité de ses textes que par la réalisation, le montage et la direction artistique, révolutionner le monde du petit écran.

National Pastimes, 1992.
Œuvre de Jim Logan,
Centre de l'art indien,
Affaires indiennes
et du Nord Canada.

Bien que les comédies et les dramatiques aient été les émissions les plus populaires de la programmation en 2000, représentant plus de 39 % du nombre total d'heures d'écoute, les Canadiens sont encore friands de nouvelles et d'affaires publiques : 32 % chez les francophones et 21 % chez les anglophones.

Dans l'ensemble, nous regardons moins la télévision. En 2000, nous y avons consacré en moyenne 21,5 heures par semaine, ce qui représente une baisse de 10 % depuis 1984. Ce sont les Québécois de langue française qui regardent le plus la télévision — soit une moyenne de 24,5 heures par semaine —, alors que les Albertains sont ceux qui la regardent le moins — soit environ 20 heures par semaine, en moyenne. De tous les groupes d'âge, ce sont les Canadiens de 60 ans et plus qui regardaient le plus la télévision en 2000, alors que les hommes de la fin de l'adolescence et du début de la vingtaine sont ceux qui, de loin, la regardaient le moins.

Les arts du spectacle

Evelyn Hart bondit avec grâce dans les airs. Rex Harrington se lance dans une série de virevoltes éblouissantes sur la scène. Josée Chouinard se désarticule en une pose sculpturale étonnante qui n'est pas sans rappeler un bretzel. R. Murray Schafer dirige *Music for Wilderness Lake* sur un radeau au milieu d'un lac en Ontario. Christopher Plummer campe un *Roi Lear* tragique d'un grand réalisme pour le public de Stratford. Au Canada, les artistes du spectacle semblent doués d'une énergie éclectique et cinétique qui respecte la tradition tout en innovant inlassablement.

À Statistique Canada, on étudie plusieurs centaines d'organismes qui se consacrent aux arts de la scène — 625 en 1999. La répartition de ce groupe est intéressante : on dénombre 350 compagnies théâtrales, 160 groupes de musiciens, 92 troupes de danseurs et 23 compagnies d'opéra. Alors que quelque 13,3 millions de personnes ont assisté à leurs spectacles, ces compagnies ont généré 150 millions de dollars de recettes en 1999.

Le théâtre semble être particulièrement apprécié au Québec, où l'on ne dénombre pas moins de 137 compagnies théâtrales actives — le nombre le plus élevé au Canada.

Merrymaking at Fort Chambly, Québec, 1929. Œuvre de Franklin Hennessey, Archives nationales du Canada, C-011218.

108

Les amateurs de musique sont choyés au Canada. Au moins 14 concerts s'y donnent chaque jour. Cependant, le brio de nos artistes masque souvent des difficultés financières causées par la réduction du financement public des arts du spectacle. Aussi observe-t-on une nouvelle tendance — le recours accru à des bénévoles et un mouvement vers le financement privé, qui a augmenté d'au moins 60 % depuis le début des années 1990.

Les disques

Les chanteurs canadiens qui font des disques — Bryan Adams, les Barenaked Ladies, Robert Charlebois, Leonard Cohen, Céline Dion, Diane Dufresne, Garou, Diana Krall, Daniel Lavoie, Alanis Morissette, Oscar Peterson, Shania Twain, Roch Voisine et de nombreuses jeunes étoiles montantes — sont aussi connus à Birmingham et à Toulouse qu'à Brampton et à Trois-Rivières. Une partie de leur succès est attribuable à une décision prise en 1971 par le Conseil de la radiodiffusion et des télécommunications canadiennes selon laquelle toutes les stations de radio AM au Canada devaient faire jouer au moins 30 % de musique canadienne à certains moments de la journée. On attribue à cette décision audacieuse la relance de l'industrie de la musique au Canada.

Entre 1991 et 1998, le nombre de maisons de disques et de compagnies d'enregistrement a augmenté de façon marquée au Canada. C'est la Colombie-Britannique qui a connu la hausse la plus importante. En effet, le nombre de ses compagnies a presque doublé, s'établissant à 42 en 1998. Seules les Prairies ont enregistré une baisse, le nombre de leurs compagnies passant de 29 à 22.

Les maisons de disques déclaraient que les ventes nettes de disques des artistes canadiens avaient augmenté en 1998, atteignant 154 millions de dollars, alors que les ventes de disques ayant un contenu canadien totalisaient à peine 58 millions de dollars sept ans plus tôt.

Au cours de la même période, les Canadiens ont adopté le disque compact (CD) comme format d'enregistrement préféré. Le CD a augmenté sa part du marché, passant de moins de 44 % en 1991 à plus de 80 % en 1998. Le plus récent format d'enregistrement à

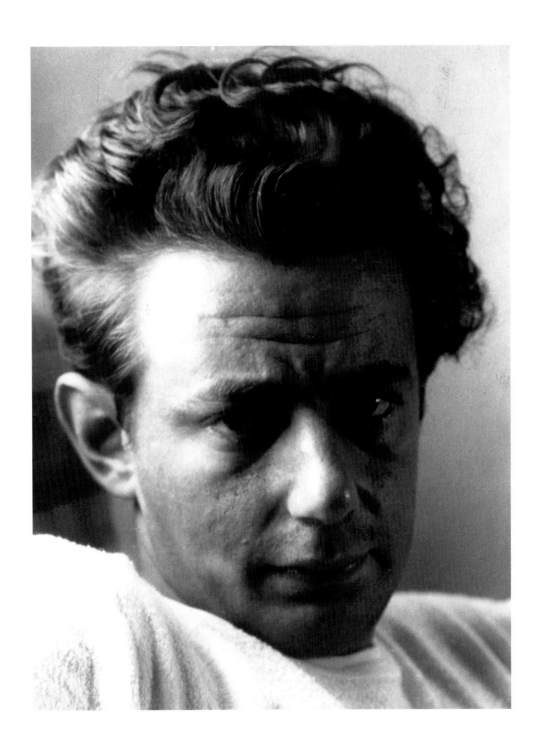

Mordecai Richler,
1931-2001.
Montreal Gazette.

La saison suivante,
parc de la Gatineau,
Québec.
Photo de
J. David Andrews,
Masterfile.

Les écrits restent « Je nourris l'idée que les arbres de nos forêts, qu'il s'agisse de bois de feuillus ou de résineux, mais plus particulièrement le sapin, l'épinette ou le peuplier, compte tenu de leur texture fibreuse, pourraient facilement être réduits par frottement et transformés en papiers de la plus haute qualité. » [traduction]

C'est ce qu'écrivait le Néo-Écossais Charles Fenerty le 26 octobre 1844 dans une lettre adressée au *Acadian Recorder*. Le jeune bûcheron Fenerty avait découvert un moyen de faire du papier, transformant des arbres fraîchement abattus en une sorte de pâte. La légende locale veut que l'idée lui soit venue en regardant des guêpes construire leurs nids, lesquels imitent le papier. L'idée de Fenerty était révolutionnaire et, en bout de ligne, a contribué à changer la façon de présenter l'imprimé.

Avant qu'il ne fasse connaître les résultats de ses expériences, d'autres avaient déjà breveté le procédé de la fabrication du papier à partir de la pâte de bois. Il ne toucha donc aucune somme pour sa découverte. Il a toutefois obtenu une certaine notoriété grâce à son poème épique *Betula Nigra*, s'inspirant d'un majestueux bouleau noir qui poussait sur sa ferme familiale. Ce poème lui valut le premier prix lors de l'exposition de Halifax en 1854.

Un monarque à l'ombre de la forêt,
Revêtu des plus beaux apparats de l'été,
Dans des teintes de vert ardent. [traduction]

gagner en popularité est le MP3, particulièrement chez les auditeurs qui partagent des fichiers de musique sur Internet. En 2000, 44% des ménages branchés sur Internet déclaraient télécharger de la musique à partir du Web.

L'imprimé

En 1908, la carrière littéraire de Lucy Maud Montgomery est lancée dès la publication de son premier roman, *Anne… La Maison aux pignons verts*. Cette écrivaine est également l'auteure de sept autres volumes qui font suite au premier roman, de la trilogie autobiographique *Émilie*, ainsi que de quelques romans pour adultes.

Une seconde renaissance littéraire, incarnée par Hubert Aquin, Roch Carrier, Mavis Gallant, Margaret Laurence, Hugh McLennan, Mordecai Richler et Gabrielle Roy, a vu le jour au cours des années 1950. Cette période de créativité se poursuit encore aujourd'hui grâce au travail d'autres auteurs tels que Arlette Cousture, Nancy Huston, Alice Munro et Michel Tremblay, pour n'en nommer que quelques-uns.

Le roman *Pélagie-la-Charrette*, d'Antonine Maillet, lui a valu le Prix Goncourt en 1979 et s'est vendu à plus d'un million d'exemplaires en France seulement. En 1992, Michael Ondaatje a remporté le Prix du Gouverneur général pour le roman de langue anglaise et le Booker Prize pour son roman *L'homme flambé*. En 1995, Carol Shields a remporté le Prix Pulitzer pour son roman *La mémoire des pierres*. Victor-Lévis Beaulieu a quant à lui reçu, en 2001, le prix Athanase-David du ministère de la Culture et des Communications du Québec pour l'ensemble de son œuvre. Enfin, tout récemment, Marie Laberge recevait le Grand Prix littéraire Archambault pour son roman *Gabrielle*, le premier de sa trilogie *Le goût du bonheur*.

L'avènement des douzaines de petites imprimeries qui poussaient comme des champignons au cours des années 1960 coïncidait avec la percée d'une vague de poètes, de dramaturges et de romanciers qui demandaient à se faire entendre. En 1999, l'édition du livre au Canada était une industrie évaluée à plusieurs milliards de dollars, qui embauchait près de 9 000 personnes réparties dans 700 entreprises. Un peu plus de la moitié de ces entreprises ont fait un profit — deux tiers en baisse par rapport aux profits d'il y a quatre ans. Parmi les collections de livres qui ont le plus de succès, mentionnons Harlequin, publié par le plus grand éditeur du monde de romans à l'eau de rose. En 2001, l'entreprise déclarait des ventes annuelles d'environ 153 millions de livres dans 94 marchés internationaux.

Nos habitudes de lecture sont en pleine transformation. En effet, près de trois millions de Canadiens ont utilisé Internet au moins une fois en 1998, soit pour lire un journal, un magazine ou un livre. Entre 1986 et 1996, le nombre d'acheteurs de livres est demeuré stable, même si la famille canadienne moyenne a consacré 23 % moins d'argent à l'achat de livres.

Le milieu du journal et du magazine est aussi en transformation. Entre 1992 et 1998, le nombre de Canadiens qui lisaient des journaux au moins une fois par mois a chuté, passant de 92 % à 82 %. Au cours de la même période, le nombre de lecteurs de magazines a baissé, passant de 80 % à 71 %. Entre 1991 et 1997, même si on publiait toujours 1 333 magazines canadiens, 400 ont cessé leurs activités et plus de 200 nouveaux titres sont apparus. En 1998, quelque 28 % des Canadiens s'étaient rendus dans une bibliothèque, bien qu'une proportion inférieure à celle enregistrée en 1992 ait déclaré avoir emprunté des livres. Un an plus tard, en 1999, le Canada est devenu l'un des premiers pays au monde à brancher toutes ses écoles et ses bibliothèques publiques à Internet.

« Quand j'hésite,

je ne peins pas;

quand je peins,

je n'hésite pas. »

Jean-Paul Riopelle,
Riopelle : œuvres vives, 1993

Les arts visuels

Alors que les lecteurs dévoraient les ouvrages romantiques conventionnels au début des années 1900, plusieurs artistes canadiens tentaient de se démarquer le plus possible des conventions établies par leurs prédécesseurs européens. Regroupés sous la bannière du Groupe des Sept en 1920, Franklin Carmichael, Lawren Harris, A. Y. Jackson, Franz Johnston, Arthur Lismer, J. E. H. MacDonald et F. H. Varley ont produit des esquisses et des toiles saisissantes, s'inspirant des espaces naturels. Les critiques de l'époque ont qualifié leurs toiles de « paysages grossiers, tape-à-l'œil, insignifiants et bizarres » [traduction]. Aujourd'hui, leurs œuvres suscitent toujours le même attrait. On les considère autant typiquement canadiennes qu'imaginatives.

L'art contemporain au Canada met en valeur une gamme complexe d'approches : l'art multimédia de N. E. Thing Co.; l'art conceptuel de Michael Snow; l'art corporel de Geneviève Cadieux; M. Peanut (Vincent Trasov), qui s'est porté candidat à la mairie de Vancouver costumé en arachide; l'art environnemental de l'architecte et artiste montréalais Melvin Charney; les travaux artistiques « mail-art » d'Anna Banana; les collages de Jeff Wall; l'installation artistique d'Edward Poitras, l'un des nombreux artistes qui s'est le plus distingué parmi les Premières Nations; et bien d'autres encore.

Isabel Jordan, 1947.
Œuvre d'Alma Duncan,
Archives nationales
du Canada,
C-149239.

Pretty boy, 2001.
Œuvre de
Janet Werner,
La Galerie d'art
d'Ottawa.

Un an seulement après le début de la photographie professionnelle au Canada en 1840, une dame de Montréal — Madame Fletcher — a établi son studio commercial, devenant ainsi la première femme photographe au pays. La photographie a joué un rôle important pour l'embauche d'immigrants dans l'Ouest. Elle a aussi été une source de nouvelles durant les deux guerres mondiales. De nombreux Canadiens connaissent les œuvres de Malak et de Yousuf Karsh. Grâce à eux et à d'autres comme Roloff Beny, John de Visser et Evergon, la photographie canadienne s'est taillé une place de choix à l'échelle internationale.

En 2001, plus de 27 000 Canadiens se disaient peintres, sculpteurs, artisans, artistes ou photographes, un nombre inchangé depuis la dernière décennie.

Les sports et les loisirs

Les sports continuent de réveiller notre sens aigu de la concurrence. Nous avons, en effet, toujours eu des sportifs comme héros — le rameur Ned Hanlan et l'homme fort Louis Cyr au XIXe siècle et, plus récemment, le grand du hockey Wayne Gretzky, la patineuse Catriona Le May Doan et les coureurs automobiles Gilles et Jacques Villeneuve.

De toutes les activités de loisirs, le hockey semble émouvoir les Canadiens comme aucun autre sport. Au décès de l'ancienne étoile des Canadiens de Montréal, Maurice Rocket Richard, en 2000, Roch Carrier — fidèle admirateur et auteur d'un livre récent sur le Rocket — a écrit : « Le Rocket ne cessera jamais de patiner dans nos mémoires, de marquer des buts. Jusqu'à la fin de nos vies, nous entendrons : "Maurice Rocket Richard lance et compte!" »

En février 2002, près de six millions de Canadiens ont regardé la finale de hockey féminin aux Jeux olympiques de Salt Lake City, en Utah. Le Canada a gagné contre les États-Unis, remportant une victoire de 3 à 2 et, du coup, sa première médaille d'or dans cette discipline olympique. Quelques jours plus tard, les Canadiens ont applaudi frénétiquement l'équipe de hockey masculine lorsqu'elle s'est aussi mérité la médaille d'or — ce qui donne raison aux railleries de l'écrivain Joey Slinger quand il affirme que « nos rêves sont submergés et gelés, un filet à chaque extrémité » [traduction]. Au total, le Canada a remporté 17 médailles, soit le meilleur résultat olympique depuis sa première participation en 1924.

Les origines du hockey remontent à aussi loin que la crosse, le rugby britannique, un jeu pratiqué à Montréal en 1875 avec une rondelle de fortune. Nous pouvons retracer les origines d'autres sports canadiens dans diverses sources. Par exemple, le curling nous vient de l'Écosse. On reconnaît aux autochtones canadiens le canoë-kayak, la crosse, la raquette et la traîne sauvage, alors que le basket-ball a été inventé par le Canadien James Naismith.

Même si nous aimons regarder les performances exceptionnelles de nos athlètes et de nos joueurs de hockey, le golf est, de nos jours, le sport qu'un grand nombre de Canadiens choisissent de pratiquer. En 1998, on remarquait une nouvelle tendance dans les loisirs : ce n'était plus le hockey, mais bien le golf qui était le sport le plus pratiqué par les adultes. En effet, plus de 1,8 million de personnes se sont retrouvés sur des terrains de golf cette année-là, comparativement à 1,5 million qui ont chaussé leurs patins. La popularité du golf souligne l'évolution constante de notre courbe démographique — au fur et à mesure que la population vieillit, les goûts à la mode et les intérêts culturels évoluent.

Le maintien du sport amateur repose en grande partie sur les épaules des bénévoles. Entre 1992 et 1998, deux fois plus de Canadiens ont décidé qu'être entraîneur dans le sport amateur était une activité qui en valait la peine, leur nombre passant d'environ 840 000 à 1,7 million. Le nombre d'arbitres, d'officiels et de juges-arbitres a presque doublé au cours de la même période, passant d'un chiffre estimatif de 550 000 à presque 940 000 personnes.

Bon nombre d'entre nous préfèrent encore s'occuper à des passe-temps plus paisibles comme le jardinage. En 1998, environ 12 % d'entre nous ont déclaré faire de la peinture ou de la sculpture. Par ailleurs, environ 29 % ont pris plaisir à faire de l'artisanat, dont la sculpture sur bois, le tissage et la poterie, et à peu près 8 % ont consacré du temps à la photographie artistique.

« Travailler dans le domaine que l'on a choisi est une chance… Performer dans ce même domaine est un privilège. »

Bruny Surin

On a gagné!
L'équipe de hockey
féminine, 2002.
Presse Canadienne,
(Kevork Djansezian).

L'album de famille du Canada « L'histoire est pour moi une grosse malle remplie d'écrits » [traduction], disait un jour le romancier Jack Hodgins. Mais où donc est cette malle? Avons-nous perdu les secrets de notre identité ou oublié nos origines? Aucunement, puisque ces secrets sont soigneusement conservés dans le coffre aux souvenirs du Canada — un vaste immeuble en acier inoxydable et en verre conçu pour durer au moins 500 ans — le nouveau Centre de préservation des Archives nationales, situé dans la ville de Gatineau, au Québec.

Des vieilles bandes vidéo rarissimes des fantaisistes Johnny Wayne et Frank Shuster, le journal intime du premier ministre Mackenzie King, des poèmes inédits d'Archibald Lampman, des messages déchiffrés transmis par des espions ennemis pendant la Seconde Guerre mondiale, toutes les archives de l'éminent acteur et dramaturge québécois Gratien Gélinas — voilà quelques-unes des pages de l'histoire du Canada, qui, selon l'Archiviste national Ian Wilson, est composée d'un ensemble « de récits écrits ou recueillis, d'images et d'anecdotes, de témoignages assermentés et de légendes extravagantes ».

Depuis 1872, les Archives nationales préservent « le legs d'une génération à l'autre », comme Sir Arthur Doughty, Archiviste fédéral de 1904 à 1935, aimait appeler sa collection.

La famille Karst, 1945.
Avec la permission de
Roz Phillips.

En leur qualité de gardiens de cette histoire et de ces souvenirs, les archivistes du Canada doivent relever un défi de taille, celui de passer au crible des tonnes de documents privés et publics, d'histoires et de nouvelles afin de ne retenir que le 1 % possédant une valeur « archivistique » et méritant d'être intégré à notre « mémoire nationale ». À cette fin, ils travaillent dans des laboratoires de conservation de classe internationale pour restaurer et traiter des documents fragiles et ils stockent les documents publics inactifs dans sept énormes centres répartis aux quatre coins du pays. Tout cela afin de permettre aux chercheurs et aux Canadiens intéressés de trouver la proverbiale aiguille dans une très, très grosse botte de foin.

Au fil des ans, les résultats de ce labeur sont impressionnants. Aujourd'hui, les Archives nationales abritent quelque 2,3 millions de cartes et plans architecturaux, la plus précieuse collection de timbres au Canada, 341 000 heures de films, bandes vidéo et enregistrements sonores et bien au-delà de 20 millions de photographies. Si on empilait tous les documents que les Archives renferment, la pile atteindrait 145 kilomètres de hauteur.

The Karst Family

Je suis né en [...] comté d'Elgin, en

Ontario. [...]ait Iona Station.

Popul[...]

D[...]eureux sur la ferme : le travail

[...]e aversion normale, et le faible

[...]On travaillait très dur pour très peu.

[...]choix a sonné, j'ai été très heureux de faire

carrière [...]niversitaire, écrivain et professeur.

Aux jeunes d'aujourd'hui, je dirais : « Il n'y a qu'un endroit

où vous devriez vous efforcer d'être, et c'est au premier rang de

votre classe. »

John Kenneth Galbraith, économiste

Thank you your participation at the 16th International Conference of Heads of Diplomatic Courier Services.

An Inukshuk was selected due to its meaning; according to folklore, they are used to signify a guidepost, a symbol of safety, hope and friendship. Moreover, these stone figures are still created by the Inuit of the Canadian north and can be found along many of Canada's roadways.

À l'attaque, peewees!
Burlington, Ontario.
Photo de John de Visser.

L'ÉCONOMIE

« L'argent, disait l'économiste d'origine canadienne John Kenneth Galbraith, est, avec l'amour, la plus grande source de plaisir pour l'homme. Avec la mort, c'est aussi sa plus grande source d'inquiétude. » [traduction] Le rédacteur en chef du percutant *Calgary Eye Opener*, Bob Edwards, ne disait-il pas un jour d'un ton affligé « si l'argent est roi, il m'a toujours maintenu au rang de valet » [traduction]. Dans le même ordre d'idée, la fébrilité du suspense ressenti en lançant les dés, ou à une table de blackjack, n'est pas inconnue au Canada. En 2001, les Canadiens ont en effet misé la bagatelle de 10,7 milliards de dollars! Ce n'est peut-être pas par hasard que notre tout premier papier-monnaie — en fait le premier en Amérique du Nord — était imprimé au verso de cartes à jouer en Nouvelle-France, en 1685.

Donnant libre cours à leur penchant national pour l'épargne, les Canadiens ont confié, au fil des ans, leur argent à un grand nombre de caisses d'épargne. L'historien canadien William Kilbourn raconte la stupéfaction d'un des premiers visiteurs en Saskatchewan lorsqu'il a aperçu « une hutte de terre au milieu de la prairie, acceptant les transactions et arborant l'enseigne de la Banque Canadienne de Commerce » [traduction]. Une personne qui trouverait sous un matelas un vieux billet de quatre dollars de la Banque commerciale de Windsor de la Nouvelle-Écosse pourrait encore l'échanger et recevoir quatre dollars à la Banque du Canada, même si cette petite banque de la Nouvelle-Écosse a fermé ses portes il y a 100 ans. D'ailleurs, ce billet vaut probablement beaucoup plus que quatre dollars aux yeux d'un collectionneur.

Les banques privées — l'Agricultural Bank de Montréal, une banque fictive, ou la Zimmerman Bank d'Elgin, dans l'Ouest du Canada, dont les activités ont été de courte durée — ont émis la presque totalité de notre papier-monnaie jusqu'en 1935, année où ce travail a été confié en exclusivité à la Banque du Canada, qui venait d'être créée, à la suite de quoi les banques privées ont graduellement commencé à fermer leurs portes.

Même si un gain à la loterie ou la découverte d'un trésor est un rêve pour plusieurs, la plupart des Canadiens se constituent une richesse grâce au travail et à l'épargne. En 2001, l'avoir national totalisait 3,5 billions de dollars. En divisant cette somme par le nombre de Canadiens, on arrive à environ 112 800 $ par habitant. En 1999 seulement, les Canadiens ont investi 27,8 milliards de dollars dans les régimes enregistrés d'épargne-retraite (REER), portant le total de tous les régimes de pension privés à bien plus qu'un billion de dollars. Notre prédilection pour l'épargne tend cependant à diminuer quelque peu. En 2001, l'épargne des particuliers se chiffrait à 23,4 milliards de dollars — une chute vertigineuse par rapport aux 62,9 milliards de dollars épargnés en 1992.

Il est également possible de calculer l'avoir net — c'est-à-dire l'avoir moins la dette — de ce que les économistes appellent la « famille médiane », soit la famille se situant exactement au milieu de la liste des 12,2 millions de familles canadiennes classées selon leur richesse. Nous apprenons ainsi qu'en 1999, la famille médiane du Canada disposait d'un avoir net de 81 000 $.

La richesse n'est toutefois pas répartie également au Canada. En 1999, le dixième des familles les plus riches possédaient 53 % de la richesse totale. À l'autre extrémité de l'échelle, le dixième des familles les plus pauvres avaient une valeur nette négative, leurs dettes étant supérieures à leurs avoirs. Le niveau de scolarité explique en partie cette différence. En 1999, la valeur nette médiane du titulaire d'une maîtrise était presque trois fois plus élevée que celle d'une personne n'ayant qu'un diplôme d'études secondaires.

« Qui paie mes

dettes m'enrichit. »

Proverbe québécois

On ne s'étonnera pas que la maison constitue le bien le plus important des familles canadiennes, représentant 32 % de tous les avoirs qu'elles détenaient en 1999. Les Canadiens aiment leurs maisons; posséder sa propre maison est un rêve canadien maintes fois cité, un espace particulier, distinct du monde matériel » [traduction], faisait observer l'architecte canadien Witold Rybczynski. Viennent ensuite les régimes de pension privés — surtout les régimes de pension de l'employeur, les REER et les fonds enregistrés de revenu de retraite —, qui représentent 29 % de tous les avoirs.

Le Canada moderne

Pour un jeune qui fait son entrée sur le marché du travail au Canada, en 2002, quelles sont les chances de trouver un bon emploi et de jouir d'une vie saine et aisée? Il s'avère que les jeunes sont plus susceptibles de trouver un emploi que de gagner à la loterie. En effet, les chances de trouver du travail sont beaucoup plus liées à leur niveau de scolarité et à leur expérience professionnelle — ce que les économistes appellent le capital humain. Ainsi, plus un jeune est scolarisé, plus grandes sont ses chances de trouver un emploi bien rémunéré.

Les chiffres véhiculent un autre message convaincant. En effet, le Canada se classe au neuvième rang de l'économie mondiale et peut s'enorgueillir d'avoir des niveaux de revenu et de richesse parmi les plus élevés. Il faut maintenant 13 chiffres pour mesurer l'économie canadienne. En effet, le produit intérieur brut (PIB) — la valeur totale de tous les biens et services produits au Canada — atteignait le billion de dollars en 2001.

Et qu'en est-il de l'inflation? Entre 1973 et 1981, l'inflation a atteint les deux chiffres, alimentée par l'augmentation des prix du pétrole. Puis, elle a chuté brusquement, s'établissant à tout juste 5 %. Au cours de la dernière décennie, l'inflation est demeurée bien en deçà de ce niveau; en 2001, elle se situait à 2,6 %.

Tout comme celle d'autres pays du monde, l'économie du Canada a subi un important ralentissement en 2001. Les attaques terroristes du 11 septembre ont amplifié cette tendance, ébranlant les marchés des capitaux et des produits de base et prouvant la fragilité de l'économie mondiale. Le retour rapide à la croissance témoigne toutefois de sa capacité d'adaptation et de sa souplesse, qui s'est traduite à l'échelle du pays par une fébrilité se manifestant par l'achats de nouvelles maisons, de nouveaux meubles et de nombreux autres biens de consommation. Les dépenses de consommation représentaient 57 % de notre PIB en 2001, un pourcentage assez près des 61 % du PIB d'il y a 40 ans.

Le gain de 1,5 % du PIB du Canada a été l'un des plus importants sur la scène internationale en 2001. Aux États-Unis, le PIB a augmenté de 1,2 %. L'économie du Japon a reculé de 0,5 %, résultat d'une décennie de performance médiocre. L'Allemagne, après avoir été la puissance économique de l'Europe, a continué d'accuser un retard.

Au Canada, la forte croissance de l'industrie de pointe a connu une période d'arrêt et a perdu l'équivalent d'une production de 10 milliards de dollars. Les fabricants d'ordinateurs, de matériel de télécommunication et de câbles à fibres optiques ont été très éprouvés. La croissance des fournisseurs de services en conception par ordinateur, en logiciels et en télécommunications est demeurée assez forte, bien qu'elle ait ralenti.

Corporate Office, 1976.

Œuvre de Lynne Cohen.

L'histoire de Bombardier Par une nuit neigeuse de l'hiver 1934, Joseph-Armand Bombardier, qui se trouvait à son garage de Valcourt, au Québec, fut appelé au chevet de son fils Yvon, âgé de deux ans, qui souffrait d'une appendicite. Comme les routes de campagne étaient recouvertes d'une épaisse couche de neige, Bombardier ne put se rendre avec son fils à l'hôpital le plus proche, situé à Sherbrooke, à quelque 50 kilomètres de là. Malheureusement, Yvon mourut.

Cette tragédie fut particulièrement pénible pour Bombardier, qui travaillait d'arrache-pied à inventer un véhicule pouvant se déplacer sur la neige depuis qu'il était adolescent.

En fait, il avait conçu sa première machine à l'âge de 15 ans, utilisant un vieux traîneau, une hélice et un moteur Ford de modèle T. Bombardier et son frère conduisirent la bruyante machine sur une distance d'un kilomètre, rue principale, effrayant au passage les citadins et les chevaux. Comme le relate le biographe Roger Lacasse, « … leur père est furieux et leur ordonne de démonter l'engin immédiatement. " Voulez-vous vous tuer? " leur cria-t-il à tue-tête. »

Bombardier finit par inventer le premier véhicule automobile se déplaçant sur la neige au Canada. En juin 1937, il reçut son premier brevet d'invention et, peu après, la production de son « auto-neige » commença.

En 1959, Bombardier, ayant perfectionné son invention, présenta une nouvelle motoneige légère qu'il appela Ski-Dog. Toutefois, au moment d'imprimer la documentation traitant de la motoneige, une erreur typographique se glissa, transformant le mot Ski-Dog en Ski-Doo. Ce nom est resté. Le Ski-Doo connut un succès instantané. En 1963, dans La *Revue Imperial Oil*, on la décrivait comme « une sorte de scooter monté sur des chenilles miniatures grondant comme un lave-vaisselle qui s'emballe » [traduction].

Par la suite, la société Bombardier a vendu plus de deux millions de motoneiges et est devenu l'un des principaux fournisseurs mondiaux non seulement de motoneiges, mais aussi d'avions, de trains, de véhicules militaires, de véhicules de transport en commun et de motomarines récréatives.

D'autres secteurs ont souffert du ralentissement économique de 2001. Le retard de croissance a ainsi causé une perte de presque 7 milliards de dollars aux industries d'exploitation des ressources naturelles et les industries minière et forestière ont aussi subi des contrecoups. Mais ce sont les agriculteurs canadiens qui ont été les plus touchés en raison de la perte de 18 % de leurs récoltes, attribuable en partie à la pire sécheresse depuis 1988. Au cours de la dernière décennie, plus de 100 000 travailleurs agricoles ont quitté ce secteur, soit plus de 30 % de toutes les personnes œuvrant dans le secteur de l'agriculture.

Le ralentissement de la pêche commerciale au Canada a défrayé la manchette des journaux. Malgré des moratoires et des restrictions visant plusieurs espèces et des revers qu'a connus ce secteur d'activités, la pêche commerciale est toujours très importante pour des centaines de localités côtières et même pour quelques collectivités intérieures. Les collectivités et les entreprises de pêcheurs se sont adaptées, et ont surtout opté pour la pêche et l'élevage des mollusques et crustacés et pour d'autres types d'aquaculture. En 2000, la valeur au débarquement des mollusques et des crustacés a augmenté de 27 %.

Le commerce

Le commerce, « une activité vitale de laquelle dépendra le patriotisme, la défense commune et tout le reste » [traduction], écrivait Sir William Van Horne en 1914, a toujours été important pour le Canada.

On a beaucoup écrit sur les caprices de nos échanges commerciaux, et nul doute qu'on le fera encore beaucoup plus. Nous savons toutefois avec certitude que la population du Canada est petite et que son territoire est vaste. Nous savons aussi que celui-ci regorge de ressources hydrauliques, forestières et minérales et que ces richesses naturelles ont contribué à caractériser la façon dont nous commerçons avec les autres pays. Les premiers Européens ont tout d'abord été attirés par l'abondance de poissons au large de Terre-Neuve et, dans les années 1800, le penchant des Européens pour la fourrure a conduit à l'exploration de l'Ouest canadien. Au début, nous entretenions des relations commerciales en grande partie avec les Britanniques, qui achetaient notre bois d'œuvre pour leur industrie de construction navale, notre blé et, bien entendu, nos peaux de castor. Ils nous expédiaient en retour des tissus, de la porcelaine et des voitures de chemin de fer.

Le Pont de la
Confédération.
Photo de John Sylvester.

Toutefois, au début de la Seconde Guerre mondiale, nos activités commerciales ont été réorientées vers les États-Unis, qui jouissaient alors d'une situation financière plus solide pour acheter nos biens. Dès 1946, nos ressources minières, maritimes, forestières et agricoles totalisaient un bon 45 % de nos exportations, et au moins 40 % de celles-ci étaient destinées aux États-Unis.

Aujourd'hui, notre commerce porte essentiellement sur les produits qui font notre force. Nous sommes des experts de la fabrication de voitures et d'avions ainsi que de moto-neiges et de trains, sans parler du matériel de télécommunications. Bien que nous vendions encore du blé, du bois d'œuvre, des produits de pâtes et papiers, des minéraux et même des diamants, les ressources naturelles représentaient moins de 40 % de nos exportations en 2000. À vrai dire, le produit canadien dont on fait le plus souvent le commerce aujourd'hui est l'automobile et, bien sûr, ses pièces. Puis, suivent les machines et le matériel ainsi que les produits industriels. Ces deux dernières catégories incluent pratiquement tout, des aéronefs aux baladeurs. Le commerce est toutefois un phénomène hétéroclite; ainsi, l'un de nos ambassadeurs infatigables en matière de commerce est le sirop d'érable. Le principal consommateur de sirop, nul autre que le marché américain, achète 80 % de la production de cet élixir canadien. Pour leur part, les Américains produisent un éventail similaire de biens de consommation et d'équipement.

Au cours des 50 dernières années, nous avons le plus souvent enregistré un déficit commercial global, c'est-à-dire que nous avons dépensé plus au chapitre des importations que nous n'avons tiré de nos exportations. En 2001, le Canada a toutefois affiché un excédent commercial — la sixième fois seulement depuis 1950. En effet, nous avons exporté pour près de 471 milliards de dollars en biens et services, alors que nous en avons importés pour 416 milliards de dollars. Notre excédent du compte courant a augmenté en 2001, pour s'établir à 30 milliards de dollars, pulvérisant le record de l'année précédente par une marge de 2,3 milliards de dollars. Il s'agit du troisième excédent consécutif et de la plus longue série d'excédents depuis les années 1940.

Voilà qui aurait fait le bonheur de George Hees. Celui-ci, en sa qualité de ministre du Commerce du Canada de 1960 à 1963, avait l'habitude de dire qu'il « marcherait sur la tête à Times Square si cela pouvait faire vendre des produits canadiens » [traduction].

Octobre, 1993, Montréal.

Photo de Barbara Meneley.

Lorsque M. Hees est entré en fonction, les États-Unis étaient déjà notre plus important partenaire commercial. En outre, au fur et à mesure que les barrières commerciales ont été levées, nos exportations vers les États-Unis ont augmenté de 300 %. Lors d'une séance conjointe du Parlement en 1995, le président des États-Unis, Bill Clinton, a adroitement résumé la situation, qualifiant ce commerce de « pilier essentiel de l'architecture de nos deux économies » [traduction].

En 2001, environ 85 % des exportations canadiennes étaient destinées aux États-Unis. Ce chiffre n'englobe pas les autres formes d'intégration économique, comme le déplacement des travailleurs entre les deux pays, le commerce électronique interentreprises et les achats par Internet.

L'Europe et le Japon sont également des partenaires commerciaux essentiels et d'importantes sources d'investissement étranger. De plus, comme nous investissons davantage dans les économies en développement, le Canada a signé des accords bilatéraux de libre-échange avec le Costa Rica, le Chili et Israël.

L'innovation

En 2000, un rédacteur scientifique entreprenait de parcourir le Canada pour découvrir ce qui est au cœur de la nouvelle économie fondée sur le savoir. Après avoir visité les entreprises canadiennes en technologie de pointe, nouvelles et émergentes, William Atkinson a écrit *Prototype* et en est venu à la conclusion que l'élément clé de l'économie moderne est « la mise en valeur de la plus renouvelable et facilement accessible de toutes nos ressources — l'innovation » [traduction].

Le rythme du changement s'accélère partout, conséquence des idées nouvelles et de l'innovation technologique. En 1994, une chaîne de pizzerias a traité sa première commande par Internet — pepperoni et champignons, rien de moins — à peine trois ans après le lancement du World Wide Web. L'incidence possible d'Internet et du Web sur les communications a été telle que les entreprises traditionnelles ont multiplié leurs investissements pour demeurer concurrentielles avec leurs compétiteurs offrant des cyberservices.

Deux phénomènes récents ont changé l'image du secteur de la technologie de pointe au Canada : le prétendu bogue de l'an 2000 et l'avènement des cybercompagnies ou entreprises.com. Tout au long de 1999, les propriétaires d'ordinateurs du monde entier semblaient souffrir de l'angoisse du nouveau millénaire. Ils appréhendaient les effets du bogue de l'an 2000, un problème informatique qui empêcherait certains programmes de distinguer le 1er janvier 2000 du 1er janvier 1900.

Les entreprises et administrations canadiennes comme les particuliers se sont préparés pour l'éventuel chaos annoncé, faisant revoir et mettre à niveau un large éventail d'ordinateurs et de systèmes informatiques. La force collective engendrée par cette rénovation a stimulé l'économie, qui a connu sa meilleure performance en une génération. La demande a contribué à raviver les marchés financiers, se centrant sur les actions et les nouvelles émissions publiques des entreprises exploitées sur Internet. D'habitude, l'adresse Web de ces entreprises se terminait par « .com » (abréviation de « commercial »), d'où « entreprise.com ». Leur popularité a créé une énorme bulle spéculative sur le marché boursier.

L'arrivée du nouveau millénaire semblait également provoquer une certaine euphorie. Nombreux étaient ceux qui pensaient que de nouveaux modèles de croissance et de rentabilité allaient remplacer les anciennes règles du cycle économique. Des firmes aussi emblématiques que Eaton's et Enron ont été malmenées par les forces du marché, alors que des sociétés qui n'existaient pas il y a dix ans attiraient d'énormes investissements.

La bulle a toutefois éclaté. Tout a commencé en mars 2000 avec l'effondrement des cours de nombreuses entreprises de technologie de pointe cotées en bourse et comprises dans l'indice NASDAQ (National Association of Securities Dealers Automated Quotations). En août 2000, la baisse s'est étendue à la Bourse de Toronto (TSE). En août 2001, la valeur de l'indice TSE avait chuté de 34 %.

Les marchés boursiers

Au Canada, les premières opérations boursières ont été effectuées en 1832 à l'Exchange Coffee House de Montréal. Entre 1945 et 1998, plus de 39 milliards d'actions ont changé de main à la Bourse de Montréal.

Le plus important krach boursier a été suivi de la Grande Crise. Au cours de l'été 1929, le prix des actions industrielles avait monté en flèche au Canada. En septembre, le prix avait triplé par rapport au début de 1927 et, à peine deux mois plus tard, il avait chuté de 33 %, poursuivant sa chute pendant quatre autres années. Malgré des soubresauts, à long terme, la Bourse a été une source de richesse pour les investisseurs. Une somme de 1 000 $ investie dans l'ensemble du marché boursier canadien en 1924 vaudrait aujourd'hui presque 2 millions de dollars.

« Se sentir utile,

c'est se sentir vivant,

et c'est ça que le

travail nous procure

vraiment. »

Michel Chartrand
Les dires d'un homme de parole,
1997

Qui a vu le vent? Non loin du pays de W. O. Mitchell, à Pincher Creek, en Alberta, les vents des prairies alimentent autre chose que l'imagination littéraire : ils sont mis à contribution pour produire de l'énergie électrique, la même énergie que nous pourrions tirer de l'eau, du gaz ou du charbon.

Les « moissonneuses » ont quelque 50 mètres de hauteur. Leurs pales géantes et leurs rotors de la taille d'ailes d'avion n'ont qu'une vague ressemblance avec les moulins à vent. Le rôle de ces éoliennes est de transformer, au rythme de 40 000 kilowattheures, les vents dominants de l'ouest en électricité utilisable, dans le cadre d'un programme de production annuelle de 299 millions de kilowattheures d'énergie éolienne partout au Canada, soit une quantité suffisante pour alimenter une ville canadienne de taille moyenne pendant six mois.

L'énergie éolienne est une énergie non polluante. C'est ce qui a incité la ville de Calgary à adopter l'énergie produite par les turbines éoliennes de Pincher Creek pour alimenter son réseau de tramways. Ce changement, qui a eu lieu en 2001, signifie que 187 000 Calgariens font quotidiennement la navette entre leur domicile et leur travail en utilisant le C-Train de Calgary, qui se déplace grâce à l'énergie éolienne.

Le réseau de transport en commun de Calgary est le premier à utiliser l'énergie éolienne en Amérique du Nord. Ses représentants estiment qu'il faudrait l'équivalent de 50 000 tonnes de charbon par année pour produire l'énergie requise pour alimenter la ligne ferroviaire, sans parler des 26 000 tonnes de dioxyde de carbone que cela rejetterait dans l'atmosphère.

L'énergie éolienne est produite au Canada depuis quelque temps, mais ce n'est qu'en 1987 que le premier parc d'éoliennes a fait son apparition à Cambridge Bay, sur l'île de Victoria, dans l'archipel canadien.

Au début de son roman paru en 1947, *Qui a vu le vent*, W. O. Mitchell disait que le vent était « inéluctable ». En ce qui concerne les parcs d'éoliennes du Canada, cette omniprésence du vent est un élément essentiel, non seulement pour produire de l'énergie, mais aussi pour prévenir la pollution et garantir la pureté de l'air pour les années à venir.

La croisée de
deux mondes.
Parc national Jasper,
Alberta.
Avec la permission de
Via Rail Canada.

Foncer à toute vapeur Un journal local en faisait l'éloge en ces termes : « la plus ingénieuse invention du genre à ce jour ». [traduction] L'inventeur — Henry Seth Taylor — se vantait que sa réalisation surpasserait « n'importe quel cheval trotteur ». [traduction]

C'était en 1867. Le décor : une foire agricole, à l'endroit même où se trouve maintenant Stanstead, au Québec. On pouvait y voir avancer — haletant — le premier véhicule motorisé au Canada. Bien qu'elle ait été construite longtemps après l'avènement, en 1769, de la première automobile au monde, la voiture de Taylor n'en demeure pas moins le premier boghei à vapeur de l'histoire construit au Canada.

L'industrie automobile canadienne a réellement « démarré » en 1904, année de l'établissement de la compagnie Ford du Canada Limitée. En 1913, alors que l'industriel américain Henry Ford mettait en place ses chaînes de montage pour produire des voitures en série, plus de 29 000 automobiles roulaient sur les routes du Canada. Dix ans plus tard, le Canada suivait de près les États-Unis comme le plus important producteur de véhicules et le principal exportateur d'automobiles et de pièces d'automobiles.

En 1927, dans l'*Annuaire du Canada,* on relatait d'un ton plutôt affecté : « Comme maintes autres inventions, l'automobile fut d'abord un jouet, puis un objet de luxe à la portée des riches; maintenant elle est devenue le confort des classes aisées et est en passe de devenir une nécessité de la vie pour les masses. »

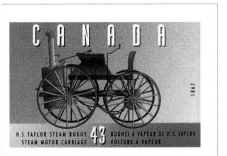

Et c'est ce qui est arrivé. Alors que les Canadiens ressentaient péniblement les effets de la Crise de 1929, plus d'un million de voitures étaient néanmoins immatriculées chaque année. Pour une population d'environ dix millions d'habitants, cela signifiait une voiture pour dix Canadiens. Au début des années 1950, période où les centres commerciaux poussaient comme des champignons partout au pays, plus de deux millions de voitures étaient immatriculées et au moins une voiture était garée dans l'entrée de cour de quelque 50 % des foyers canadiens.

En 1965, année où le Canada et les États-Unis conclurent le Pacte de l'automobile, plus de cinq millions de véhicules de promenade étaient immatriculés, soit l'équivalent de presque un véhicule pour quatre Canadiens.

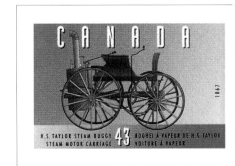

En 1990, le nombre de voitures sur les routes du Canada avait plus que doublé et s'établissait à plus de 12 millions. En 2000, plus de 136 500 personnes travaillaient dans le secteur de la fabrication de véhicules automobiles et de pièces d'automobiles en Ontario seulement.

Aujourd'hui, le Canadien moyen parcourt environ 15 440 kilomètres par année en voiture, en fourgonnette ou en camionnette. À l'époque de Taylor, il n'y avait pas de compteur kilométrique dans les voitures et aucune statistique n'était tenue. Toutefois, les historiens nous apprennent que, dans le meilleur des cas, les conducteurs faisaient en moyenne 160 kilomètres par année.

De nos jours, les marchés boursiers du Canada font office d'indicateur de notre optimisme économique et de la vigueur de notre économie. Ainsi, pendant le ralentissement de 2001, les investisseurs étrangers ont délaissé les marchés boursiers canadiens. Les investissements étrangers ont piqué du nez, passant de 35 milliards de dollars en 2000 à seulement 5 milliards de dollars en 2001. Par ailleurs, les investisseurs étrangers ont injecté 34 milliards de dollars dans le florissant marché des obligations. Les entreprises canadiennes ont rapidement réagi pour profiter des taux d'intérêt relativement faibles et pour porter l'émission de nouvelles obligations à 58 milliards de dollars en 2001, alors qu'elle était à 12 milliards de dollars l'année précédente. Elles ont aussi eu recours aux obligations pour modérer leur recours aux prêts à court terme.

Le marché boursier du pays étant peu reluisant, les investisseurs canadiens se sont montrés beaucoup plus intéressés à acheter des actions étrangères que des obligations étrangères. En 2001, les investisseurs canadiens à l'étranger ont acheté des actions totalisant 36 milliards de dollars, alors qu'ils n'ont presque pas acheté d'obligations.

Les dépenses

Malgré une économie chancelante, les familles canadiennes touchaient un salaire réel plus élevé en 2001. Ainsi, le comptant réel dont elles disposaient a augmenté de 2,4 %, une hausse qui demeure un peu moins élevée que celle enregistrée en 2000.

Cette hausse du salaire réel s'expliquait en partie par un important allégement fiscal — le plus important que le gouvernement ait consenti aux Canadiens depuis 1978 — et en partie par les règlements salariaux qui témoignaient de la restriction relative du marché du travail. Les travailleurs du secteur privé, par exemple, ont négocié des augmentations salariales s'élevant en moyenne à 2,4 % en 2000 et même à 2,9 % en 2001.

Le foisonnement soudain de panneaux portant la mention « À vendre » sur les pelouses et les routes du pays et les hypothèques à rabais offertes par les banques ont incité les Canadiens à se lancer à la recherche de maisons, ce qui a généré un marché de l'habitation très vigoureux. En fait, tout comme les dépenses liées à notre consommation, l'achat d'une maison représentait le centre de notre croissance économique en 2001.

Cela dit, les revenus plus élevés de 2001 ont permis aux consommateurs canadiens de dépenser tout en continuant à épargner à un taux de 4,6 %. En fait, notre capacité de continuer à dépenser sans devoir entamer nos économies ou nous endetter fait fortement contraste avec les États-Unis, même si nous épargnons moins qu'avant. En général, les dépenses par habitant ont progressé de manière continue depuis plus de 20 ans au Canada, alors que les taux d'épargne ont diminué.

Nos achats ont toutefois légèrement changé. Nos dépenses pour les soins médicaux et les soins de santé ont augmenté l'an dernier, en partie à cause des nouveaux médicaments destinés à une population vieillissante. Notre histoire d'amour avec l'automobile s'est également poursuivie. En effet, on a même constaté l'ombre d'une soudaine poussée d'achats vers la fin de l'année 2001, alors que les taux d'intérêt étaient à la baisse.

Les emplois

Au début des années 1900, Alfred Fuller, un Néo-Écossais de 21 ans, avait déjà été congédié de trois emplois lorsqu'il a décidé de lancer la compagnie Fuller Brush dans le sous-sol de la maison de sa sœur, à Boston. Cette entreprise a tôt fait de devenir un véritable phénomène nord-américain. Dans les années 1950, quelque 1 200 représentants de la compagnie, des « Fuller Brush men », sonnaient chaque jour aux portes des domiciles pour vendre leurs marchandises partout au Canada. Aujourd'hui, l'idée d'acheter des brosses d'un vendeur itinérant — ou des aspirateurs, des encyclopédies ou quoi que ce soit d'autre, du reste — a fait place à celle qui consiste à les acheter au centre commercial, ou par le truchement d'Internet ou du canal de télé-achats.

« L'argent ce n'est pas la jeunesse, mais ça console un peu de vieillir. »

Yves Beauchemin
L'enfirouapé, 1974

Bon nombre des emplois qu'occupaient nos parents et nos grands-parents n'existent tout simplement plus. Les offres d'emploi pour embaucher des forgerons, des typographes et des chauffeurs de locomotive ne font plus partie des rubriques de nos journaux depuis longtemps, le camionnage étant le secteur d'emploi qui embauche le plus d'hommes au Canada, alors que le travail de bureau est celui qui emploie le plus de femmes.

De nos jours, 76 % des Canadiens travaillent dans le secteur des services, où la croissance a généralement été plus rapide que dans les autres secteurs. De ces travailleurs, environ 20 % occupent des emplois dans les domaines des services commerciaux, de la finance et de l'administration.

Qu'il s'agisse d'un impérieux besoin d'indépendance ou d'une combinaison de raisons sociales et économiques, 15 % des travailleurs canadiens — ou 2,3 millions de personnes — travaillent à leur propre compte, et 33 % d'entre eux sont des femmes. Commencée au cours de la Seconde Guerre mondiale, l'arrivée massive des femmes

Un coin de rue
à Regina.
Photo d'Yves Beaulieu,
ALT-6.

dans la population active s'est poursuivie dans les années 1960 et se poursuit avec une intensité plus ou moins égale depuis ce temps. Aujourd'hui, il n'y a qu'un seul soutien de famille dans quelque 21 % des familles époux-épouse, comparativement à 44 % en 1975.

En 2001, la population active du Canada comptait plus de 16 millions de personnes, qui représentait 66 % de la population en âge de travailler. Par ailleurs, le taux de chômage s'établissait à un peu plus de 7 %, comparativement à 11 % au début des années 1990. Néanmoins, on assiste à un phénomène, celui que l'économiste canadienne Judith Maxwell a décrit comme de jeunes travailleurs à la recherche de « contrats de travail » plutôt que d'emplois, parce que le nombre d'emplois permanents augmente lentement.

Bien que depuis 1999 le marché du travail semble faire la vie plus dure que jamais à ceux qui sont titulaires de plus qu'un baccalauréat (le taux de chômage de tous les diplômés universitaires a augmenté pour la première fois en cinq ans, passant de 3,9 % à 4,6 %), il existe encore un lien étroit entre le niveau de scolarité et les emplois de choix.

Ce changement peut fort bien être la manifestation du ralentissement des secteurs de la technologie, qui emploient une proportion plus forte de personnes très scolarisées que les autres secteurs d'activité. Cependant, la persistance de cette tendance sur une période de trois ans laisse croire que d'autres facteurs encore incompris peuvent être en jeu. La baisse du taux de chômage s'est surtout fait sentir chez les hommes de plus de 24 ans, particu- lièrement chez ceux qui ont entre 25 et 44 ans et chez ceux de plus de 64 ans.

Les deniers publics

Au milieu des années 1950, C. D. Howe, le ministre du commerce de l'époque, affirmait avec une pointe d'ironie que « rien n'est plus permanent qu'un immeuble temporaire du gouvernement, sauf l'impôt temporaire » [traduction]. Au Canada, le premier impôt sur le revenu a été perçu en 1917. Instauré par le gouvernement fédéral comme mesure à court terme destinée à payer les dépenses militaires du pays engendrées pendant la Première Guerre mondiale, aujourd'hui encore, il demeure une réalité tout aussi tangible que les immeubles temporaires du gouvernement. En 2001, les administrations fédérale et provin- ciales ont perçu plus de 187 milliards de dollars en impôt sur le revenu, soit l'équivalent de plus de 45 % de leurs recettes. En 1917, première année d'imposition de l'époque moderne, les recettes totales tirées de cette mesure s'élevaient à 8 millions de dollars.

Tout comme les familles et les particuliers, les administrations fédérale, provinciales et municipales tirent des revenus de sources diverses, comme l'impôt sur le revenu des particuliers et des sociétés, l'impôt foncier, les droits de douane et les frais d'utilisation.

De l'autre côté de l'équation se trouvent les dépenses. Pour l'administration fédérale, et pour de nombreuses administrations provinciales, la politique de relance par le déficit budgétaire est devenue une pratique courante à compter des années 1970, et ce, jusque vers le milieu des années 1990. Entre 1971 et 2001, la dette de l'administration fédérale est donc passée de 18,6 milliards à 545 milliards de dollars, soit d'environ 900 $ pour chaque homme, femme et enfant, à près de 18 000 $ par personne. On doit la plus grande partie de cette somme aux citoyens du Canada qui détiennent des obligations d'épargne du Canada, des bons du Trésor et d'autres titres d'État. Le reste est attribuable à des prêteurs étrangers.

Entre 1996 et 2001, un changement d'orientation notable a été imprimé à la politique de gestion financière du Canada. En fait, le pays a connu cinq années d'excédent budgétaire depuis 1996, dont 34 milliards de dollars en 2000 et 26 milliards en 2001. Ces excédents ont contribué à réduire la dette publique et à renforcer le processus que les économistes appellent le « cercle vertueux », qui consiste à réduire les paiements nécessaires pour rembourser la dette.

Étant donné que les déficits se sont maintenant transformés en excédents — au moins durant les cinq dernières années — le ratio de la dette publique par rapport au PIB a diminué, passant de 71 % en 1995 à un peu plus de 50 % en 2001. Une fois la dette réduite, les Canadiens paient moins d'intérêts par le truchement de différents impôts. En 2001, les intérêts de la dette nationale du Canada s'élevaient à environ 41 milliards de dollars ou approximativement 1 335 $ pour chaque Canadien et Canadienne, enfants compris.

The Shape of a Gesture,
1978.
Œuvre de Sorel Cohen.

Les carats du Nord De vastes étendues de neige et de glace. De petits monticules de pierres et, parfois, une crête de gravier. Des forêts boréales esquissées. Des lacs, encore des lacs. Des bœufs musqués, des caribous et des ours polaires à la démarche singulière. Le silence.

Voilà une description du Nord que n'aurait certes pas désavoué un géographe ou un poète, jusqu'au moment où, en 1991, de fines pierres du Nord du Canada s'envolèrent vers les plus élégantes salles de réception du monde. Si on les retrouve dans ces salles, c'est grâce à la découverte de 81 petites gemmes extraites des profondeurs glaciales du lac Point, au cœur même des Territoires du Nord-Ouest.

Quelque 9 millions de carats plus tard, le Canada est devenu le quatrième producteur de diamants au monde, après le Botswana, la Russie et la Namibie.

En 2001 seulement, le Canada a produit 3,7 millions de carats évalués à quelque 800 millions de dollars. Toutes ces pierres provenaient d'une seule mine — Ekati — située au lac de Gras, à environ 380 kilomètres au nord de Yellowknife. On prévoit exploiter deux autres mines à Diavik et au lac Snap. La production annuelle de diamants au Canada devrait atteindre la somme de 1,2 milliard de dollars d'ici 2010.

À elle seule, la mine Ekati a fait gonfler le produit intérieur brut des Territoires du Nord-Ouest de près de 20 % et a permis de créer plus de 2 200 emplois. Tout cela apporte de l'eau au moulin de l'économie. Maintenant, voyons un peu ce qui inspire nos poètes…

Aurores boréales.

Sudbury, Ontario.

Photo de Mike Grandmaison.

Je suis né en 1957 dans une hutte de terre à Jens Munk Island. J'ai cessé d'étudier en 8ᵉ année parce que je ne voulais pas quitter la maison pour fréquenter une école située à 400 milles. Tout le monde me dit qu'Atanarjuat traite de thèmes universels. Pourtant, je n'ai jamais lu Shakespeare ni les tragédies grecques. Je n'ai fait qu'écouter les récits des aînés quand j'étais jeune.

En 1981, j'ai obtenu ma première caméra et, depuis, je n'ai jamais regardé en arrière.

Ma philosophie était la suivante : s'ils peuvent le faire, je le peux aussi. Et je l'ai fait !

Zacharias Kunuk, réalisateur

Aînées inuites.
Arctic Bay, Nunavut.
Photo de Mike Beedell.

LE CANADA DANS LE MONDE

En 1971, Jean Chrétien, un jeune ministre du Cabinet qui voyageait en Union soviétique, offrit en cadeau dix bœufs musqués comme symbole d'amitié au peuple soviétique. Il ignorait alors que ces mammifères au pelage laineux seraient les ancêtres d'un cheptel de 2 500 bêtes broutant dans l'Extrême-Nord de la Russie. De simples gestes de diplomatie comme celui-ci contribuent à donner au Canada sa place dans le monde, et ce, au même titre que les activités que nous avons réalisées dans des domaines tels que le maintien de la paix, les sciences et la technologie, la littérature, les beaux-arts et les sports.

Depuis la création de la première force de maintien de la paix à la suite de la crise de Suez, en 1956, les Canadiens ont pris part à presque toutes les opérations de maintien de la paix entreprises par l'Organisation des Nations Unies (ONU), notamment au Cachemire, à Chypre, au Moyen-Orient, en Haïti et en Afrique. En 1992, le major-général canadien Lewis MacKenzie dirigeait la Force de protection de l'ONU en Yougoslavie. En 2001, des Casques bleus canadiens ont été envoyés en Macédoine à la demande de l'Organisation du Traité de l'Atlantique Nord (OTAN).

Se déplaçant à une vitesse de plus de 27 000 kilomètres à l'heure, la Station spatiale internationale est un autre symbole de la diplomatie internationale et représente le plus important projet de recherche scientifique de l'histoire auquel participent les Canadiens. Depuis la première mission spatiale de Marc Garneau en 1984, les Canadiens ont participé à 11 missions dans l'espace, qui sont autant d'aventures, entre autres la première marche d'un Canadien dans l'espace — un exploit réalisé en 2001 par l'astronaute Chris Hadfield.

« J'écris pour tromper la réalité et l'amener à se montrer sous son vrai jour » [traduction], disait le poète et romancier George Bowering. Cette nouvelle réalité — de plus en plus reconnue dans le monde — est canadienne. En 2001, Alistair MacLeod a remporté l'International IMPAC Dublin Literary Award pour son roman *La perte et le fracas,* prix qui lui a valu une place de choix au panthéon littéraire international. L'année précédente, Margaret Atwood était la deuxième Canadienne à recevoir le Booker Prize pour son roman intitulé *Le tueur aveugle* (Michael Ondaatje l'ayant remporté en 1992 pour son livre *L'homme flambé*). En 2002, Anne Carson devenait la première femme et la première

Canadienne à se voir décerner le T. S. Eliot Award for Creative Writing pour son œuvre poétique *The Beauty of the Husband*.

Les Canadiens comptent d'ailleurs parmi les citoyens les plus riches du monde, touchant un revenu moyen de 28 000 $US en 2000; seulement six autres pays affichaient un revenu moyen plus élevé. Les citoyens du Luxembourg étaient ceux qui gagnaient le plus (45 000 $US chacun), alors que chaque citoyen américain touchait en moyenne 36 000 $US. Les populations qui partagent un niveau de richesse semblable sont rares. En 1999, le revenu individuel moyen dans le monde était inférieur à 7 000 $US. Au Sierra Leone, l'un des pays les plus pauvres, il était inférieur à 450 $US. De 1994 à 2000, l'ONU classait le Canada comme le meilleur endroit où vivre sur la planète, en tenant compte des critères liés à la santé, à l'éducation, à la littératie, à l'emploi et au revenu. En 2001, le Canada s'est classé au troisième rang, derrière la Norvège et l'Australie.

La santé

C'est seulement depuis les années 1950 que les humains ont commencé à survivre aux éléphants et aux perroquets de l'Amazonie qui, eux, peuvent vivre jusqu'à environ 80 ans. En 1920, en raison des rigueurs et des difficultés de la vie quotidienne, les Canadiens ne pouvaient espérer vivre en moyenne que 59 ans. Dans les années 1950, notre espérance de vie atteignait 69 ans et, aujourd'hui, elle s'élève à près de 79 ans.

De nos jours, les Canadiens vivent en moyenne plus longtemps que quiconque, à l'exception des citoyens du Japon, de l'Australie, de la Suède, de l'Islande, de la Suisse et de Hong Kong. Les habitants du Japon sont ceux qui vivent le plus longtemps, leur espérance de vie étant, en moyenne, d'environ 80 ans. Tous n'ont pas cette chance. En 1999, l'espérance de vie moyenne dans le monde était inférieure à 67 ans et, dans les pays les moins développés, elle s'établissait à 50 ans.

En 1998, chaque Canadien dépensait plus de 2 300 $US en soins de santé, alors que ce montant s'élevait à plus de 4 000 $US pour chaque Américain, ce peuple détenant le record mondial à cet égard. Les administrations publiques du Canada ont consacré aux

« Être conscient de soi-même nous permet d'être conscient des autres. »

[traduction]

John Ralston Saul
On Equilibrium, 2001

La jeep volante Pour de nombreux pilotes, il s'agissait d'une camionnette volante d'une demi-tonne. Durant la guerre de Corée, on l'appelait la jeep volante. Pour les habitants du Nord du Canada, le Beaver de la société De Havilland Canada, Inc. représentait tout simplement un lien vital avec l'extérieur.

Ces personnes appréciaient le fort vrombissement d'un avion de brousse — l'un des bruits les plus agréables à entendre dans ce coin du pays. Depuis les premiers vols dans les régions nordiques, au milieu des années 1920, les avions de brousse ont permis d'établir des liens avec les collectivités éloignées. Dans un même voyage, ils transportaient le courrier, les aliments, le carburant et une foule d'autres objets de première nécessité, puis repartaient avec un enfant malade et le conduisaient à l'hôpital, ou emmenaient peut-être les seuls représentants de la cour de circuit — ou cour itinérante.

Les pilotes de brousse du pays dont on parlait dans les livres d'enfants, dans les années 1920 et 1930, étaient des héros, tout comme les ingénieurs qui avaient conçu un monomoteur robuste pouvant résister aux dures conditions d'atterrissage dans le Grand Nord. Le premier avion de brousse entièrement fabriqué au Canada, le Norseman de Bob Noorduyn, s'est vendu à plus de 900 appareils du même modèle, après s'être envolé pour la première fois, en 1935.

Cependant, le Beaver était incomparable. Peu après la Seconde Guerre mondiale, une équipe de concepteurs réunie à la société De Havilland

Canada, à Toronto, a conçu le prototype canadien du premier avion de brousse entièrement métallique à connaître une réussite commerciale. Le DHC-2 Beaver a décollé le 16 août 1947. Après un cycle de production d'environ 1 700 appareils, on disait de lui, dans les livres sur l'aviation, qu'il s'agissait de l'avion le plus robuste jamais fabriqué au Canada.

En 1987, la Commission du centenaire de l'ingénierie reconnaissait le Beaver comme l'une des dix plus remarquables réalisations de l'ingénierie du siècle dernier, au même titre que le chemin de fer du Canadien Pacifique et que la Voie maritime du Saint-Laurent.

Le Beaver, cet avion exceptionnel, a par la suite été remplacé par le « Super Beaver », le puissant DHC-3 Otter de la société De Havilland Canada, Inc. Toutefois, quelque 400 de ces appareils Beaver volent encore aujourd'hui.

Il y a toujours eu quelque chose de mystérieux entourant le Beaver, comme la rédactrice galloise Jan Morris en a fait l'expérience. En effet, lors d'un voyage à Yellowknife, apercevant une lumière immobile dans le ciel, au crépuscule, elle a cru qu'il s'agissait de Jupiter.

« Silencieuse, elle était suspendue dans le ciel qui s'assombrissait et, très lentement, majestueusement en fait, elle prit la forme d'un petit hydravion descendant sur Yellowknife, au nord. La lumière semblait telle-ment défier l'obscurité, et l'avion lui-même était si petit que, lorsqu'il se posa enfin, faisant onduler la surface du lac, je crus voir la véritable image héroïque de l'aventure nordique du Canada. » [traduction]

Ottawa — une nuit.

Photo de Malak.

soins de santé 6,6 % du produit intérieur brut (PIB) du pays, comparativement à 7,0 % en Islande et en Suède, à 7,7 % en Suisse et à 7,9 % en Allemagne et en Belgique.

Au cours des années 1980 et 1990, le virus de l'immunodéficience humaine (VIH) et le syndrome d'immunodéficience acquis (SIDA) sont devenus des préoccupations planétaires en matière de santé. En 2001, on estimait que 55 000 Canadiens avaient contracté le VIH ou étaient atteints du sida — soit environ 0,3 % de la population des 15 à 49 ans. Ce taux correspondait au taux d'infection moyen de la plupart des pays développés et représentait environ la moitié de celui enregistré aux États-Unis.

La situation est cependant plus dramatique ailleurs. En effet, le taux d'infection moyen en Afrique subsaharienne était près de 30 fois plus élevé que celui du Canada en 2001, alors que 9 % des adultes de la région avaient contracté le VIH ou étaient atteints du sida.

L'éducation

Presque tous les Canadiens peuvent lire, écrire et comprendre une phrase courte et simple, mais, en 1998, environ 17 % d'entre eux éprouvaient de la difficulté à comprendre des formulaires, des graphiques, des horaires et des cartes. Fait intéressant à noter, le Recensement de la population de 1901 révélait que 17 % des Canadiens ne pouvaient lire ou écrire. Cependant, notre façon de mesurer la littéracie a changée au fil des ans. Même si le taux d'analphabétisme était élevé et continue de l'être, plusieurs pays membres de l'Organisation de coopération et de développement économiques (OCDE), dont les États-Unis et le Royaume-Uni, sont également aux prises avec des taux d'analphabétisme supérieurs à 20 %. En 1999, à peine la moitié des adultes vivant dans les pays les moins développés du monde savaient lire ou écrire.

Les Canadiens figurent parmi les personnes les plus scolarisées du monde. En 2000, nous avons passé en moyenne 11,6 années à l'école, une augmentation de 2,6 ans par rapport à 1970. Seuls les élèves de la Nouvelle-Zélande, de la Norvège et des États-Unis ont passé plus de temps sur les bancs d'école, bien qu'il ne s'agissait que de quelques mois de plus que les élèves canadiens. En 1999, pas moins de 89 % de tous les adultes canadiens avaient poursuivi des études secondaires et plus de 40 % étaient titulaires d'un diplôme universitaire ou d'un diplôme d'études collégiales. Seuls la Norvège, les Pays-Bas et les États-Unis affichaient une plus forte proportion de diplômés universitaires.

Les sciences et la technologie

En 1874, la première ampoule électrique au monde a été brevetée à Toronto par Henry Woodward et Matthew Evans. Bien qu'ils aient été incapables de réunir le financement voulu pour leur invention, ils en ont tout de même vendu les droits à Thomas Edison. C'est Alexander Graham Bell qui, en 1876, a réussi le premier appel téléphonique au monde entre Brantford et Paris, en Ontario. Ce premier « coup de fil » en a suivi bien d'autres. En effet, aujourd'hui, pas moins de 98 % des ménages canadiens possèdent un téléphone.

Depuis le XIXe siècle, le Canada a offert au monde des inventions aussi diverses et précieuses que la radiodiffusion, l'embarcation à plans hydrodynamiques, la souffleuse à neige, l'insuline, et le télémanipulateur du Canadarm utilisé dans les engins spatiaux. En 1995, un groupe de scientifiques canadiens a mis au point une nouvelle sorte de bananes — la Mona Lisa — qui résiste aux nombreuses maladies et aux parasites qui ont menacé les récoltes de bananes et de bananes plantains partout dans le monde.

D'autre part, les Canadiens ont fait œuvre de pionniers dans le domaine du captage de brouillard — un procédé qui consiste à recueillir l'eau de brume. En 1992, des scientifiques canadiens ont élaboré, pour les pays où il y a peu de précipitations, une méthode permettant de capter les gouttelettes d'humidité dans le brouillard et de les transformer en eau potable.

Les Canadiens ont participé activement aux travaux internationaux visant à déchiffrer le mystère du génome humain — le plan détaillé de la vie contenu dans l'ADN de chacune de nos cellules. Les scientifiques canadiens ont élevé plusieurs types de souris génétiquement modifiées à des fins de recherche médicale. En 2000, une firme canadienne de biotechnologie a réussi à ajouter un gène d'araignée à l'ADN d'un troupeau de chèvres.

« Pour inventer, il faut dissimuler quelque chose, et de toute façon ce quelque-chose là se trouve quelque part, non? »

Pierre Yergeau
Tu attends la neige, Léonard?,
1992

169

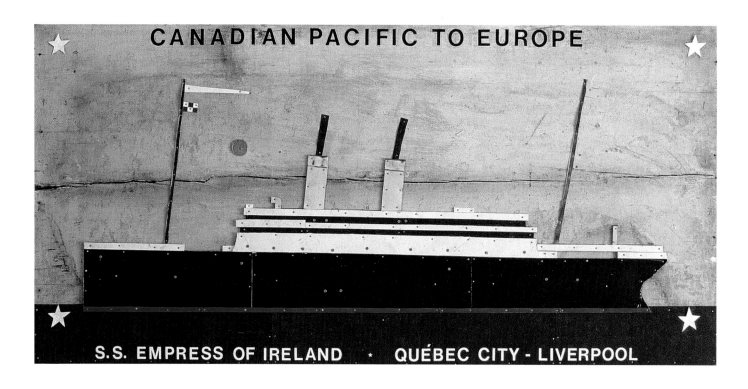

The Empress of Ireland,

2000.

Œuvre d'Eric Walker.

On trouve maintenant dans leur lait de la soie d'araignée, l'une des fibres les plus résistantes et les plus souples qui soient.

Des liens internationaux

Le Canada a une longue histoire en tant que participant actif à des accords multilatéraux et à d'autres accords commerciaux. Par le passé, nous entretenions de solides relations avec le Royaume-Uni, mais avec la Seconde Guerre mondiale, notre commerce a pris une autre orientation, vers le sud : les États-Unis. En 1994, nous étions cosignataires de l'Accord de libre-échange nord-américain et, depuis, le commerce de marchandises du Canada avec les États-Unis a augmenté de 80 % et avec le Mexique, de 100 %.

Le Canada a aussi investi dans les marchés en développement. En effet, des accords commerciaux bilatéraux sont actuellement en place avec le Costa Rica, le Chili et Israël. Par ailleurs, des pays comme l'Europe et le Japon continuent d'être d'importants partenaires commerciaux.

Il y a une génération, de nombreux Canadiens s'inquiétaient de l'ampleur des investissements étrangers au Canada. Walter Gordon, ancien ministre des Finances, parlait même d'« impérialisme économique » en 1966.

Aujourd'hui, la situation a évolué. Les Canadiens investissent en effet à l'étranger à un rythme plus rapide que les étrangers n'investissent au Canada. Entre 1990 et 2000, le nombre de nos investissements à l'étranger a plus que triplé, notamment pour ce qui est des fonds mutuels de placement, des régimes de pension et de l'essor des entreprises appartenant à des intérêts canadiens dans le monde.

En 2000, les États-Unis étaient toujours le plus important investisseur étranger au Canada, bien que les Européens aient réussi plusieurs prises de contrôle importantes. De 1980 à 2000, les investissements européens au Canada représentaient environ 20 % de tous les placements étrangers. Le Japon, le troisième investisseur en importance au Canada en 2000, possédait 51 milliards de dollars en actions, obligations et éléments d'actif canadiens, soit 12 % de tous les investissements étrangers au Canada. Cette situation contrastait avec l'actif appartenant à des intérêts canadiens au Japon, qui ne s'élevait qu'à 21 milliards de dollars cette même année.

Le tourisme et les voyages

« *Mont Sainte-Anne es una gran montaña* », annonce un site Web touristique mexicain faisant la promotion des nombreuses « super montagnes » du Canada où les Mexicains viennent skier. En fait, les skieurs et les néviplanchistes mexicains ont dévalé les pentes canadiennes en nombre record, et ce marché, bien qu'il soit encore modeste, croît rapidement. En 1999, les Mexicains ont effectué environ 127 000 voyages au Canada. Cette même année, la chaleur tropicale du Mexique et de Cuba a également séduit environ 1 million de touristes canadiens.

Selon l'Organisation mondiale du tourisme, le Canada était la septième destination touristique en importance en 1999 — année où nous avons accueilli 20 millions de touristes ayant fait un séjour d'une nuit et plus au pays.

La plupart des touristes qui ont visité le Canada en 1999 étaient des Américains. En 2001, les touristes américains ont effectué plus de 15 millions de séjours d'une nuit au Canada, dépensant plus de 10 milliards de dollars en voyageant partout au pays. Le Canada attire également de nombreux visiteurs européens. Un nombre record de 780 000 touristes du Royaume-Uni — le plus important marché d'outre-mer du Canada — nous ont rendu visite en 1999. Les Français, les Allemands, les Néerlandais et les Italiens ont également afflué en nombre croissant en 1999, après deux années au cours desquelles ils s'étaient faits moins nombreux.

Bon nombre de touristes asiatiques visitent également le Canada chaque année. Ils viennent particulièrement du Japon et de Hong Kong, bien que la piètre situation économique qui prévalait à la fin des années 1990 se soit soldée par une diminution des visiteurs originaires des pays d'Asie. Seul le nombre de touristes venant de Taïwan s'est accru de façon constante au cours des années 1990, faisant de ce pays le cinquième marché d'outre-mer du Canada.

Sans titre, 1997.

Œuvre de Cathy Daley,

Photo de

Peter MacCallum.

Néanmoins, les touristes canadiens continuent de dépenser plus à l'extérieur de leur pays que les visiteurs étrangers ne dépensent au Canada. Depuis 1968, le Canada connaît un déficit touristique avec les autres pays, même si ce déficit a considérablement diminué au cours des dernières années. En 1992, les touristes canadiens ont dépensé 6 milliards de dollars de plus à l'étranger que les touristes étrangers n'en ont dépensé au Canada. En 2001, cette différence s'établissait à seulement 1,3 milliard de dollars.

Que ce soit pour voir les lumières de Paris, visiter les théâtres de Londres ou flâner sur les plages ensoleillées de l'Espagne, les touristes canadiens adorent l'Europe. En 1999, six des dix principales destinations outre-mer des Canadiens étaient européennes.

Malgré tout, un moins grand nombre de Canadiens ont voyagé vers d'autres pays et moins de visiteurs sont venus au Canada, particulièrement après les événements du 11 septembre 2001. Il ne fait pas de doute que la baisse de la valeur du dollar canadien a aussi freiné notre envie de voyager. Ainsi, à la suite des attentats terroristes du 11 septembre, les secteurs aérien, aérospatial et touristique ont connu une baisse considérable de leur chiffre d'affaires, soit 18 %. Cela est en grande partie attribuable à la chute dramatique du nombre d'Américains désirant voyager, bien qu'en 2002, ils étaient une fois de plus prêts à partir.

Sans aucun doute, les États-Unis demeurent notre principale destination touristique. En 1999, environ 14 % des Canadiens sont allés chez nos voisins du sud au moins une fois. Plus de 2 millions de Canadiens ont visité l'État de New York en 1999, mais c'est en Floride — une destination populaire en hiver — que nous dépensons le plus (1,8 milliard de dollars) et où nous passons le plus de nuits (32,5 millions de nuits).

L'environnement

Le Canada, deuxième pays au monde pour ce qui est de la superficie, possède le plus long littoral, la plus longue frontière ouverte et l'une des plus grandes réserves d'eau douce du monde — presque le dixième des ressources de la planète.

En sa qualité de conservateur d'autant de ressources naturelles mondiales non développées, le Canada a ratifié plusieurs ententes internationales visant à protéger l'atmosphère et le territoire. En 1985, nous avons ratifié la Convention de Vienne pour la protection de la couche d'ozone, suivie de la Convention sur la biodiversité, à Rio de Janeiro, et de la Convention-cadre des Nations Unies sur les changements climatiques, à New York, en 1992.

Principalement en raison de nos hivers rigoureux, nous consommons beaucoup plus d'électricité que la plupart des autres pays. En 1998, les Canadiens ont consommé en moyenne 15 000 kilowattheures (kWh) par personne chaque jour, soit la consommation d'électricité qui alimenterait une cuisinière conventionnelle durant 44 ans. Pour les pays de l'OCDE dont les revenus sont plus élevés, la moyenne se situait à 8 400 kWh par personne. La consommation énergétique des Canadiens est à peu près semblable à celle de nombreux pays scandinaves, mais les Norvégiens consomment considérablement plus d'électricité que les Canadiens, soit environ 25 000 kWh par personne — une consommation suffisante pour faire fonctionner un petit congélateur pendant 100 ans.

L'eau permet de générer environ 62 % de notre production d'électricité. Bien que le vent et l'énergie solaire produisent également une partie de l'électricité, le charbon, le pétrole, le gaz naturel et l'énergie nucléaire en génèrent une grande partie.

Les affaires étrangères

Trois jours après les attentats du 11 septembre 2001, plus de 100 000 personnes se sont rassemblées en silence sur la Colline du Parlement pour assister à un service commémoratif dirigé par la gouverneure générale Adrienne Clarkson et le premier ministre du Canada, Jean Chrétien. « Mon cœur déborde de reconnaissance pour votre compassion, disait une de leurs compatriotes. Comment puis-je à moi seule dire merci à tout un pays? »

Paul Celluci, ambassadeur des États-Unis au Canada déclarait : « Ce jour-là restera gravé dans ma mémoire pour une autre raison encore. Ce jour-là, j'ai appris le véritable sens de l'amitié. Ce jour-là, le Canada — son gouvernement et son peuple —nous a spontanément et collectivement tendu une main secourable qui nous soutient encore. »

La réaction des Canadiens se fonde sur une source inépuisable de compassion et d'engagement envers la paix, qui constituent des valeurs canadiennes fondamentales. Notre peuple est connu comme « soldat de la paix » et les Canadiens sont souvent appelés à jouer ce rôle dans les conflits internationaux.

« Les hivers de mon enfance étaient des saisons longues, longues. Nous vivions en trois lieux : l'école, l'église et la patinoire; mais la vraie vie était sur la patinoire. »

Roch Carrier,
Le chandail de hockey, 1979

Coquelicot.
Illustration de
Neville Smith.

Le soldat canadien inconnu « Nous ignorons de qui il était le fils. Nous ignorons son nom. Nous ne savons pas si c'était un MacPherson ou un Chartrand. Il aurait pu s'appeler Kaminski ou Swiftarrow. Nous ne savons pas s'il était père lui-même. Nous ne savons pas si sa mère ou son épouse reçut le télégramme portant ces mots inscrits sur un bout de papier anonyme, mais d'une clarté électrisante : "Disparu au combat". Nous ne savons pas s'il avait vraiment commencé à vivre sa propre vie, comme chauffeur de camion, scientifique, mineur, enseignant, fermier ou étudiant. Nous ne savons pas d'où il était. »

— Extrait de l'Éloge funèbre au soldat canadien inconnu, prononcé par Son Excellence la très honorable Adrienne Clarkson, gouverneure générale du Canada et commandant en chef des Forces canadiennes, 28 mai 2000.

En 1945, le Canada a été l'un des membres fondateurs de l'ONU; plusieurs Canadiens ont joué des rôles indispensables au sein de cette organisation. En 1948, le Canadien John Humphrey était le principal rédacteur de la *Déclaration universelle des droits de l'homme*, alors que Lester B. Pearson a contribué à inventer la notion moderne du maintien de la paix, ce qui lui a valu le Prix Nobel de la paix. Plus récemment, des Canadiens ont joué un rôle important dans la création de la Cour pénale internationale, qui poursuit les personnes accusées de génocide, de crimes de guerre et de crimes contre l'humanité.

Depuis la Confédération, le Canada maintient une présence diplomatique active dans le monde — tout d'abord par le truchement de services outre-mer liés à l'immigration, au commerce et aux finances, puis, dès 1926, par l'entremise de représentants ayant un statut diplomatique à part entière.

Le ministère des Affaires extérieures a été créé en 1909. À cette époque, les pays de l'Empire britannique, puis du Commonwealth, n'étaient pas considérés comme des pays étrangers. Cela explique le nom inhabituel du ministère et la raison pour laquelle nos représentants auprès des pays du Commonwealth s'appellent encore des hauts-commissaires et non des ambassadeurs. En 1993, on a changé le nom du ministère, qui est désormais Affaires étrangères et Commerce international Canada.

Le Canada était, en 1999, le septième bailleur de fonds de l'ONU, après les États-Unis, le Japon, l'Allemagne, la France, le Royaume-Uni et l'Italie. Le Canada est également représenté au sein du Commonwealth, du Fonds monétaire international, du groupe d'institutions formant la Banque mondiale, de l'OTAN, de l'Organisation mondiale du commerce, de la Francophonie, de l'Organisation des États américains, du G8 et de nombreux autres organismes.

Participant à quelque 250 missions dans environ 180 pays et ayant plus de 800 experts commerciaux dans le monde, le Canada est au centre d'une foule d'activités internatio-nales, tant sur le plan commercial qu'humanitaire. De plus, de la Leprosy Mission Canada en passant par le Réseau de radio rurale des pays en développement, deux organismes ayant leur siège social à Toronto, il existe au Canada une communauté d'organisations non gouvernementales forte et dynamique.

Par ailleurs, le Canada consacre moins d'argent à l'aide aux pays nécessiteux. Nous avons donné 1,7 milliard de dollars américains en 1999. Il s'agit d'une diminution de

36 % par rapport à 1990, ou l'équivalent de 55 $US pour chacun d'entre nous. Ce chiffre constitue une baisse comparativement à 1990 — année durant laquelle nous avions donné 78 $US — et se situe sous la moyenne de l'OCDE, qui s'établit à 66 $US.

Protéger nos foyers et nos droits

L'après-midi du 28 mai 2000, les restes d'un soldat non identifié ont été rapatriés d'un cimetière situé près de la crête de Vimy et inhumés devant le Monument commémoratif de guerre du Canada, à Ottawa. La Tombe du Soldat inconnu canadien est un hommage à plus de 116 000 Canadiens qui ont donné leur vie pour la paix et la liberté pendant les conflits armés.

De l'autre côté de l'océan, en France, une statue de pierre est érigée sur les remparts nord-est du Monument commémoratif du Canada à Vimy, face à l'est, le regard dirigé vers un tombeau blanc qui symbolise une jeune mère — une jeune nation — pleurant ses fils morts à la guerre.

Près de 1,8 million de Canadiens ont été mobilisés en temps de guerre depuis la Confédération : lors de l'Expédition du Nil (1884 à 1885), de la Guerre des Boërs (1899 à 1902), de la Première Guerre mondiale (1914 à 1918), de la Seconde Guerre mondiale (1939 à 1945), de la guerre de Corée (1950 à 1953) et de la guerre du Golfe (1990 et 1991).

En octobre 2001, les soldats canadiens étaient encore une fois prêts à servir, des troupes étant déployées en Afghanistan pour lutter contre le terrorisme qui sévit à l'échelle internationale.

À la fin des années 1980 et au début des années 1990, le démantèlement de l'Union soviétique et la fin de la guerre froide ont considérablement changé le visage des Forces armées canadiennes. Le Canada a réduit ses dépenses militaires de 35 % dans les années 1990. En 1999, comptant un effectif de 61 000 personnes, l'armée canadienne était réduite de 27 % par rapport à 1985 et elle ne représentait que 1,3 % du PIB.

Trois mois après les événements du 11 septembre 2001, le gouvernement du Canada annonçait un nouveau financement de 1,6 milliard de dollars pour l'armée canadienne, dans le cadre d'une initiative de 7,7 milliards de dollars en matière de sécurité.

« Un enfant est

en train de bâtir

un village

C'est une ville,

un comté

Et qui sait

Tantôt l'univers. »

Saint-Denys Garneau
Regards et jeux dans l'espace,
1937

181

Un érable pour l'éternité Des poètes, des peintres, des musiciens et des politiciens ont été inspirés par l'érable et ses feuilles facilement reconnaissables. Représentant l'un des emblèmes du Canada — un des autres étant le castor —, l'érable semble avoir frayé son chemin jusqu'à l'âme des Canadiens. En effet, il est un des rares symboles à nous unir et même à nous aider à nous reconnaître les uns les autres.

En 1834, lors de la fondation de la Société Saint-Jean-Baptiste, on a adopté la feuille d'érable comme emblème et, en 1867, Alexander Muir a composé *The Maple Leaf Forever* comme chant de la Confédération. Ce dernier s'est avéré l'un des plus populaires auprès de générations d'écoliers au pays.

Incorporée à l'insigne du Corps expéditionnaire canadien, la feuille d'érable s'est retrouvée au front en 1914 et, au cours de la Seconde Guerre mondiale, les troupes l'ont utilisée comme signe distinctif de l'identité canadienne. En 1965, quand est venu le temps d'adopter un drapeau proprement canadien, la feuille d'érable a pris la place qui lui revenait à juste titre, c'est-à-dire au centre de celui-ci. Un érable pour l'éternité.

Feuille d'érable.
Illustration de
Neville Smith.

(Page 184-185)
Lac Killarney,
Ontario.
Photo de Ron Erwin.

Remerciements et autorisations

Statistique Canada désire remercier chaleureusement les nombreux artistes, auteurs et éditeurs qui ont contribué à rehausser la qualité et la richesse d'*Un portrait du Canada*.

Pour les extraits littéraires, des remerciements vont à Sharon Butala (*The Perfection of the Morning: An Apprenticeship in Nature*, 1994), publié par HarperCollins*Publishers* Ltd.; Roch Carrier (*Le Rocket*, 2001), reproduit avec la permission de Penguin Books Canada Ltd. et (*Le chandail de hockey*, 1979), publié par McClelland & Stewart Ltd. *The Canadian Publishers*; et Minnie Aodla Freeman (*Ma vie chez les Qallunaat*, 1978), reproduit avec la permission des Éditions Hurtubise HMH.

Wayne Johnston (*The Colony of Unrequited Dreams*, 1998) réimprimé par Vintage Canada en 1999 et reproduit avec la permission d'Alfred A. Knopf Canada, une division de Random House of Canada Ltd.; Alistair MacLeod (*La perte et le fracas*, 2001), reproduit avec la permission des Éditions du Boréal; Stuart McLean (*Welcome Home*, 1992), reproduit avec la permission de Penguin Books Canada Ltd.; et Michael Ondaatje (*La peau d'un lion*, 1987) reproduit avec la permission des Éditions Payot & Rivages.

Le ministre des Travaux publics et des Services gouvernementaux et le Bureau du conseil privé (*Rapport de 1996 de la Commission royale sur les peuples autochtones*), ainsi que Rideau Hall (*Éloge funèbre au soldat canadien inconnu*, prononcé par Son Excellence la très honorable Adrienne Clarkson, Gouverneure générale du Canada, 2000).

Pour les œuvres d'art, nous voulons remercier la succession de Jean-Paul Riopelle, le Musée des Beaux-Arts de Montréal, la Société du droit de reproduction des auteurs, compositeurs et éditeurs au Canada (Sodrac) Inc. et les responsables de Power Corporation du Canada, Montréal, pour leur permission de reproduire un détail de *La Jacob Chatou*. Le Musée canadien de la photographie contemporaine (MCPC) pour sa permission de reproduire *Cinq générations* de Ted Grant, *Première communion* de Clara Gutsche et *Jeune fille de Bathurst Inlet, Territoires du Nord-Ouest* de Richard Harrington. La Société canadienne des postes pour sa permission de reproduire les timbres de 1993 et 1995.

Bibliographie : sources sélectionnées

Le territoire

Statistique Canada :
Statistiques démographiques annuelles,
n° 91-213-XPB au catalogue
*Chiffres de population et des logements
— Un aperçu national (produits de
données : Recensement de la population
de 1996)*, n° 93-357-XPB au catalogue
Ressources naturelles Canada :
L'Atlas du Canada, adresse Internet :
atlas.gc.ca
Warkentin, John. *Canada: A Regional
Geography*, Scarborough, Ont., Prentice
Hall, 1997.

La population

Statistique Canada :
*Profil de la population canadienne : où
vivons-nous? (recensement de 2001 :
analyses)*, n° 96F0030XIF au catalogue
Tendances sociales canadiennes,
n° 11-008-XPF au catalogue
Information population active,
n° 71-001-PPB au catalogue
*Profil du recensensement du Canada
(produits de données : profils de
secteurs : recensement de la population
de 1996)*, n° 95F0253XCB au
catalogue
*Statistiques démographiques
trimestrielles*, n° 91-002-XPB
au catalogue

Aperçu des statistiques sur la santé,
n° 82F0075XCB au catalogue
*Caractéristiques des logements et de
l'équipement ménager selon le quintile
de revenu pour le Canada*,
n° 62F0042XDB au catalogue

La société

Statistique Canada :
Juristat, n° 85-002-XPF au catalogue
Statistique de la criminalité du Canada,
n° 85-205-XIF au catalogue
*Indicateurs de l'éducation au Canada :
rapport 1999 du PIPCE*,
n° 81-582-XPF au catalogue
Revue trimestrielle de l'éducation,
n° 81-003-XPB au catalogue
Rapports sur la santé, n° 82-003-XPF
au catalogue
*Rapport statistique sur la santé de la
population canadienne*, n° 82-570-XPF
au catalogue
Indicateurs de la santé, n° 82-221-XIF
au catalogue

Les arts et les loisirs

Statistique Canada :
La culture en perspective, n° 87-004-XPB
au catalogue
*La culture canadienne en perspective :
aperçu statistique*, n° 87-211-XPB
au catalogue

Bibliographie : sources sélectionnées

Arts d'interprétation, n° 87F0003XPF
au catalogue
L'enregistrement sonore, n° 87-202-XPB
au catalogue
Le Conseil des Arts du Canada :
Adresse Internet : canadacouncil.ca

L'économie

Statistique Canada :
L'observateur économique canadien,
n° 11-010-XPB au catalogue
Produit intérieur brut par industrie,
n° 15-512-XPB au catalogue
L'indice des prix à la consommation,
n° 62-001-XIB au catalogue
Le point sur la population active,
n° 71-005-XPB au catalogue
L'emploi et le revenu en perspective,
n° 75-001-XPF au catalogue
*Bilan des investissements internationaux
du Canada,* n° 67-202-XPB au
catalogue
*Le commerce international de
marchandises du Canada,*
n° 65-001-XIB au catalogue

Le Canada dans le monde

Statistique Canada :
*Balance des paiements internationaux du
Canada,* n° 67-001-XPB au catalogue

*La balance des paiements internationaux
et le bilan des investissements
internationaux du Canada : concepts,
sources, méthodes et produits,*
n° 67-506-XPF au catalogue
*Bilan des investissements internationaux
du Canada,* n° 67-202-XPB
au catalogue
Résumé statistique sur le tourisme,
n° 87-403-XPF au catalogue
OCDE. *L'OCDE en chiffres, édition
2001,* Paris, OCDE, 2001.
United Nations Development
Programme. *Human Development Report
2001,* New York, Oxford University
Press, 2001.

Sources communes

Statistique Canada :
Le Quotidien, n° 11-001-XIF au
catalogue
Annuaire du Canada 1999 et *Annuaire
du Canada 2001,* n° 11-402-XPF au
catalogue
Un portrait du Canada, n° 11-403-XPF
au catalogue
Statistiques historiques du Canada,
2e édition, n° CS11-516-XPF
au catalogue
*The 2000 Canadian Encyclopedia:
World Edition,* CD-ROM, Toronto,
McClelland & Stewart, 1999.

Centres de consultation régionaux

Service national de renseignements :
1 800 263-1136
Numéro sans frais pour commander
seulement (Canada et États-Unis) :
1 800 267-6677
Numéro sans frais pour commander par
télécopieur : 1 877 287-4369
Appareils de télécommunication pour les
malentendants : 1 800 363-7629
Site Internet : www.statcan.ca
Adresse Internet : infostats@statcan.ca

Région de l'Atlantique

Répond aux demandes des résidents
de Terre-Neuve, du Labrador, de la
Nouvelle-Écosse, de l'Île-du-Prince-
Édouard et du Nouveau-Brunswick.

Services consultatifs
1741, rue Brunswick
2e étage, C. P. 11
Halifax (Nouvelle-Écosse)
B3J 3X8

Région du Québec

Répond aux demandes des résidents
du Québec et du Nunavut.

Services consultatifs
Complexe Guy-Favreau
200, boulevard René-Lévesque Ouest
4e étage, Tour-Est
Montréal (Québec)
H2Z 1X4

Région de la capitale nationale

Centre de consultation statistique
Immeuble R.-H.-Coats, entrée principale
Avenue Holland
Ottawa (Ontario)
K1A 0T6

Région de l'Ontario

Services consultatifs
Immeuble Arthur-Meighen
25, avenue St. Clair Est
10e étage
Toronto (Ontario)
M4T 1M4

Centres de consultation régionaux

Région des Prairies

Manitoba

Services consultatifs
Immeuble VIA RAIL
123, rue Main
Bureau 200
Winnipeg (Manitoba)
R3C 4V9

Saskatchewan

Services consultatifs
Park Plaza
2365, rue Albert
Bureau 440
Regina (Saskatchewan)
S4P 4K1

Alberta et Territoires du Nord-Ouest

Services consultatifs
Pacific Plaza
10909, avenue Jasper Nord-Ouest
Bureau 900
Edmonton (Alberta)
T5J 4J3

Région du Pacifique

Répond aux demandes des résidents de
la Colombie-Britannique et du Yukon.

Services consultatifs
Library Square Tower
300, rue Georgia Ouest
Bureau 600
Vancouver (Colombie-Britannique)
V6B 6C7

Index

CANADA

Échelle : 1: 20 000 000

1 cm = 200 km

⊛ Capitale nationale

★ Capitale provinciale ou territoriale

● Autres lieux habités

—·—·—·—·— Frontière internationale

—··—··—··—··— Limite provinciale et territoriale

—————🍁————— Route transcanadienne

Produit par la Division de la géographie,

Statistique Canada